Ⓢ新潮新書

読売新聞取材班
The Yomiuri Shimbun Special Project

中国「見えない侵略」を可視化する

919

新潮社

中国「見えない侵略」を可視化する◆目次

はじめに　7

第一章　**千人計画の罠**　11

日本人研究者四四人が「参加」　手厚い待遇「五年で二億円」　実績ある研究者を狙い撃ち　「殺戮ドローン」を作る技術も　「国防七校」にも八人の日本人　海外の最先端技術を「メイド・イン・チャイナ」に　日本の「科研費」を受領しつつ　千人計画参加のハーバード大教授を起訴　「米政府にうそをつかせる」　学術研究の自由vs.外国の介入　「米国の優位性が明確に失われている」　危機感も、規制も遅れる日本

第二章　**軍民融合の脅威**　41

新型コロナ「研究所起源説」が出た理由　民生と軍用が重なり合う「デュアルユース」　科研費も軍事研究に活用される　中国が掲げた国家戦略　「中国製造二〇二五」の重点一〇分野　最先端技術で中国軍が米軍をリード　東アジアで米軍を凌駕

開戦四日で尖閣奪取のシナリオも　中国製5Gが抱えるサイバー攻撃リスク　宇宙戦争と「はやぶさ2」　技術窃取への甘すぎる認識　「軍事アレルギー」の抜けない日本学術会議　会員「任命拒否」の一因？　千人計画に参加する元会員たち

第三章　「アプリ」「マスク」中国依存のリスク　89

中国企業に業務委託していたLINE　中国製アプリの「バックドア」　海底ケーブルで情報抜き取りも　中国人留学生は「知的財産の収集人」　軍事研究に関与した事例　「トロイの木馬」孔子学院　都合の悪い世論許さぬ中国　中国海洋調査船が日本領海で　空港隣接地を「買われた」　政府保有のドローンは中国製だらけ　「借金漬け」「不買運動」という武器　中国「ワクチン外交」の成果

第四章　米中デカップリング始動　133

大統領令でファーウェイ排除　「クリーン・ネットワーク」計画　輸出も投資も規制強化　中国に足元を見られたオバマ政権　「パートナー」から「脅威」への転換

バイデン政権での技術覇権争い　サプライチェーンを再構築　新興技術は「同盟で守る」　「本当に厳しい競争になる」　アンカレジの直接対決　香港国家安全維持法を「理解」する国が多数派

第五章　「安保は米国、経済は中国」では許されない　174

日本はどう対処すべきか　「経済安保」意識の低い経済官庁　国家安保局「経済班」が発足　導入された「新興・重要技術」流出対策　留学生のビザ審査厳格化も「セキュリティー・クリアランス」　「非公開特許制度」を導入へ　「攻撃元は中国のTick（ティック）」　サイバー攻撃と新幹線　デカップリングに消極的な経済界　バイデン政権「日本重視」の狙い　楽天がテンセント出資受け入れ　繰り返される対中融和政策　「戦略的自律性」と「戦略的不可欠性」　菅首相の覚悟求めた日米首脳会談　「ゼロサム・ゲーム」の様相

おわりに　230

はじめに

近年、従来とは次元の異なる技術やデータの活用法が登場し、経済だけでなく、安全保障のあり方まで変えつつある。誰が重要度の高い技術やデータを握るかが、これからの国際秩序の行方を左右する時代を迎えたと言っていいだろう。特に中国は、自国の影響力、支配力を強化しようと、価値ある技術やデータの収集をなりふり構わずに進めている。だが、日本ではこうした状況の変化が十分に認識されず、経済官庁や学術界、企業などの危機意識は総じて薄い。その結果、日本の平和と繁栄を損ないかねない技術やデータが、気づかぬうちに中国に渡ってしまっているのが実態だ。

こうした中国の「見えない侵略」から、読者の多くも無関係ではいられない。例えば、皆さんのスマートフォンが中国につながるアプリをダウンロードしていた場合、個人情報や位置情報がアプリを通じて中国に収集される可能性がある。また、そのアプリに悪意のあるウイルスが仕込まれていると、スマホに保存している文字、画像、動画などのデータを盗まれたり、スマホが盗聴や盗撮の道具として使われたりする恐れもある。収集されたデータが、何かの際に脅しの材料として使われる危険性も排除できない。トランプ政権は大統領令でこうしたリスクを指摘し、動画共有アプリ「ＴｉｋＴｏｋ（ティックトック）」など中国企業運営アプリの使用に警鐘を鳴らした。

日本では二〇二一年三月になって、約八六〇〇万人の利用者がいる無料通信アプリ「ＬＩＮＥ」が中国企業にシステム開発などの業務を委託していたことが明らかになった。ＬＩＮＥ側は不正な情報流出はなかったとしているが、詳細な操作記録は残っておらず、安全性に関する不安が拭いきれないとの指摘が専門家から出ている。

重要な技術をめぐる覇権争いでは、研究者の招致や留学生の派遣、企業買収といった通常の学術、経済活動が不当な技術窃取の手段となっている。象徴的な例が、海外研究者を厚遇で迎える中国の人材招致プロジェクト「千人計画」だ。中国は千人計画を通じて軍事的にも利用可能な新興技術の獲得を図り、最先端兵器を開発することで軍事的に優位に立とうとしている。織田信長がかの長篠の戦いで、ポルトガルから伝来した鉄砲を活用して武田軍の騎馬隊を破ったように、中国も、新興技術によって開発されたＡＩ

ドローンや極超音速兵器を用いて米軍を撃破する構想を描いているのは間違いない。中国が現代の「鉄砲」を作るのを支援しないよう、重要な技術を保護する必要がある。

本書が焦点を当てるのは、こうした「経済安全保障」と呼ばれる分野だ。米ソ冷戦時代にも経済安保の問題は存在していたが、世界経済に組み込まれた中国の台頭と軍事転用可能な民生技術の広がりという二つの要因から、近年、重要性が格段に高まった。

ところが、中国の千人計画や中国に対する輸出規制強化策が個別に論じられることはあっても、それらを、米中の軍事バランスにも変化をもたらす安全保障の核心的な問題と捉え、一体的に解説した報道はこれまで少なかった。

本書ではこうした問題意識から、技術やデータがどのように安全保障に影響を及ぼすのかを、政策レベルだけでなく、できるだけ具体例を示しながら論じたつもりである。取材過程では、多くの政府当局者や元政府高官、専門家の方々に協力していただいた。この場を借りて、心から感謝申し上げたい。

本書は、現行の日米安全保障条約が締結六〇周年を迎えた二〇二〇年一月一九日から同年一一月四日まで計三二回にわたり読売新聞で連載した年間企画「安保60年」をベースに、新興・重要技術やサプライチェーン（供給網）をめぐる中国の脅威と日本の状況を再取材し、二一年一月に発足したバイデン米新政権の動向なども踏まえて大幅加筆し、再構成したものである。

「安保60年」には多くの政治部員が取材・執筆にあたった。このうち経済安保については、小川聡、今井隆、大木聖馬、池田慶太、松下正和、前田毅郎、大藪剛史、阿部真司、岡田遼介、栗山紘尚、原尚吾、山口真史の各記者が主に担当した。また、中国・千人計画への日本人研究者四四人参加に関する一連の記事は、社会部の小池和樹、藤原聖大、佐藤直信、吉田敏行、清水生の各記者が取材を重ねた結果である。本書の監修作業は、小川と池田が分担し、小川が全体をまとめた。

本書が多くの読者にとって、今後の米中、日中、日米関係を規定していくであろう経済安保の問題を知る一助となれば、取材班にとってこの上ない喜びである。

*本文中の肩書きは当時のものとした

二〇二一年七月

読売新聞論説委員（前政治部次長） 小川　聡

第一章　千人計画の罠

日本人研究者四四人が「参加」

北京・天安門広場から三キロ程のところにある二五階建て高層ビル。二二階の一室で暮らすのは、北京理工大教授の日本人男性だ。約三五万円の家賃のほとんどは中国政府の予算で支払われ、ビルには温水プールやジムも併設されている。

「中国政府の千人計画に応募しませんか」

人工知能（ＡＩ）を専門とする東工大教授だった男性のもとに、こう呼びかける一通のメールが届いたのは六年ほど前だ。送り主は、かつて同大で共に研究したことがある北京理工大の中国人教授だった。

千人計画とは、世界トップの科学技術強国を目指して海外から優秀な人材を集める中国の国家プロジェクトだ。年度末に定年退職を控え、「まだ何かをやりたい」と思っていたこの男性は呼びかけに応じた。

男性は、北京理工大に約三〇〇平方メートルの研究室を構え、一五人ほどの中国人学生の指導に当たるほか、論文発表や特許申請、国際会議の開催など中国政府が求める二〇余りの仕事を五年以上継続している。

読売新聞は二〇二一年元日の一面トップ記事で、少なくとも四四人の日本人研究者が二〇年末までに、千人計画に参加したり、千人計画に関連した表彰を受けたりしていたと報じた。読売新聞の取材に参加や関与を認めた研究者は二四人。このほか、大学のホームページや本人のブログなどで参加・関与を明かしている研究者も二〇人確認できた。四四人の出身は、東大や京大など国立大の元教授が多かった。

千人計画は初期の段階では、中国側、外国人研究者の双方とも参加を公にしていたが、近年は、計画への参加を公表しなくなっている。これだけ多くの日本人の千人計画への参加・関与を確認して報じたのは主要メディアでは初めてだ。

千人計画とは何か。前身は、一九九〇年代に行われた、海外の中国人留学生を呼び戻して先端技術を中国国内に取り込む「海亀政策」(ハイグイ)だとされる。中国では海外から帰ってくるという意味の「海帰」と発音が同じであることから、帰国した留学生を「海亀」と呼んでいる。中国はその後、二〇二〇年までに世界トップレベルの科学技術力を持つイノベーション型国家へ転換することを目標に掲げ、その実現に向けた取り組みの一環として外国人研究者の招致を含む千人計画を〇八年にスタートさせた。

関係者によると、千人計画には、「創新」「創業」「青年」と「外専」の四つの種類があるという。最初の三つは主に、海外にいる中国人研究者を呼び戻すもので、創新は学術分野、創業はビジネス分野が対象だ。青年は、応募時に四〇歳以下などの年齢制限があったという。最後の外専が、外国人研究者を招致する事業だ。名前は千人計画だが、中国人を含めた参加者は、一八年までに七〇〇〇人を超えているという。

これとは別に、各省が独自に行う千人計画もある。四四人中少なくとも三人は、省の計画への参加・関与だった。

手厚い待遇「五年で二億円」

潤沢な研究資金や給料、手厚い福利厚生――。千人計画の特徴は、破格の待遇だ。

「千人計画の五年分の研究費約二億円と、中国の科学技術研究費からさらに四八〇〇万円を受け取った」

北京航空航天大で教授を務める日本人男性はそう明かした。男性が千人計画に参加したのは、日本でかつて同じ研究室に所属した同大の中国人研究者から、「日本やドイツが先行する原子核物理学の実験や研究を中国でも始めたい」と誘われたのがきっかけだった。「長年取り組んだ研究をアジアに広げたい」との思いで、一〇年から千人計画に参加した。

与えられた研究室では中国人の学生ら一〇人ほどを指導し、併任していた日本の大学との共同研究も実施。年間の半分ほどを中国で過ごし、研究費のほかに給与も受け取った。任期を終えた後も北京航空航天大に残り、研究を続けている。

「数千万円の研究費が支給され、使い道がなくて困るほどだった」

こう明かすのは、北京の大学の元教授だ。大学では日本語が堪能な秘書が付き、永住権の付与や、無料の人間ドックなどの特典もあったという。

実績ある研究者を狙い撃ち

四四人のうち、参加の経緯を明かした研究者の大半が、日本に留学していたかつての教え子や、共同研究を行った研究者ら旧知の中国人から誘われたと証言した。中国が研究者ネットワークを活用し、優秀な海外人材を採用している実態が浮かび上がる。

千人計画では通常、参加を希望する研究者自身が、経歴や業績をまとめた書類を中国の大学や研究機関に提出して応募する。その後、中国国内で数段階の審査が行われ、面接審査を経て内定が出る。計画に詳しい関係者によると、「世界中から毎年数千人の応募が殺到し、採用は宝くじに当たるほど難しい」という。

だが、実績のある日本人研究者については、中国側から積極的な勧誘が行われ、本人はそれほど苦労せずに計画への参加が決まっていた。一四年から二年半、浙江大で研究活動を行った東大名誉教授の男性は、定年を迎えた後、かつての教え子だった元中国人留学生の浙江大教授から誘われた。応募手続きはこの中国人教授が進め、北京で行われた選考会でも教授が男性に代わって業績を発表した。男性は採用決定後、任期や報酬を定めた契約書にサインしたが、「正直、選考過程はよくわからない」と明かした。

北京理工大で二〇年一月まで約三年半、学生を指導した京大名誉教授の男性は、京大を退職する直前、以前に共同研究を行った中国人研究者から誘われたという。男性は自身の論文リストや経歴書を中国に送り、千人計画に応募した。審査の手続きは詳しく知らされず、「忘れた頃に採用通知が届いた」と振り返る。

優秀な技術を持つ研究者を狙い撃ちしているとみて間違いないだろう。湖北省の華中科技大で一八年から千人計画に参加する男性教授は、中国側から各国の研究者の業績評価を依頼されたことがあった。男性教授は「中国の大学や研究機関は世界中の優秀な研究者を常に探しているようだ」と指摘した。

「殺戮ドローン」を作る技術も

中国が最先端技術を持つ外国人研究者を厚遇で囲い込んでいるのは、純粋に科学的な理由からだけではない。

内部に三グラムの指向性爆薬を備えた手のひらサイズの小型ドローン群が、顔認証システムを使ってターゲットを捜索・追跡し、見つけ次第、額にくっついて脳だけを爆薬で破壊して殺害する――。

テクノロジーの未来について研究している「フューチャー・オブ・ライフ・インスティテュート」のスチュアート・ラッセル米カリフォルニア大バークレー校コンピュータ

ーサイエンス教授が、一七年に制作したショートムービー「スローターボッツ（殺戮ドローン）」の一場面だ。自律型のＡＩロボット兵器が悪用される恐怖の世界を描き、関係者に衝撃を与えた。

映画では、スローターボッツがテロリストの手に渡り、要人が暗殺される。権力者の側も、この最先端技術を悪用し、権力者の腐敗を追及する活動に関わる学生たちにスローターボッツを放つ。スローターボッツは教室で逃げ惑う学生たちからターゲットを見つけ出し、次々と殺害していく。監視カメラと顔認証システムを使って人権活動家らの行動を監視しているという中国を連想させる内容だ。「Slaughterbots」と検索すれば、動画投稿サイト「ユーチューブ」で見ることができる。

香港英字紙サウスチャイナ・モーニングポストは一八年一一月、北京理工大が、こうした殺戮ドローンを開発するためのプログラムを開始したと報じている。五〇〇〇人を超す候補者から三一人の学生を選抜し、ＡＩを利用した「インテリジェント兵器システム」の開発を目指すという。

「スローターボッツ」の作者であるラッセル教授は同紙の取材に、「非常に悪いアイデアだ。生徒たちは最初の授業に『スローターボッツ』のフィルムを見るべきだ」と強い懸念を示した。そのうえで、「機械が人を殺す決定を下せることがあってはならない。そのような兵器はすぐに大量破壊兵器となる。それだけでなく、戦争の可能性を高めるものになる」と指摘した。

北京理工大は中国国内で、「兵器科学の最高研究機関」と称される。実は同大の「ロボット研究センター」には近年、千人計画に参加する日本人四人が所属し、AIやロボット工学、神経科学など、自律型のAIロボットにも応用できる研究を行っていた。同センターはこれまで、弾道ミサイルの誘導や軍民両用ロボットなどを研究してきたとホームページで説明している。

北京理工大で日本人研究者がAIやロボット工学などを研究・指導していることに対しては、欧米から懸念する声が出ている。

米議会の諮問機関「米中経済安全保障調査委員会」のホームページに掲載されている報告書は、「中国の軍事指導者や戦略家は、無人プラットフォームによって戦闘のあり方が劇的に変わると信じ、ロボット工学や無人システムの研究・開発に対する惜しみない資金を、国防産業や大学に投じている」と警鐘を鳴らし、中国がこうした技術を千人計画を通じて得ていると指摘する。そして実例として、北京理工大で指導する日本人教授の名前を挙げている。

同大で指導する別の日本人研究者は、「自分は軍事研究に関わらず、日本に迷惑をかけないようにと考えている」と釈明しつつ、自身の研究について「応用すれば、無人機を使って攻撃したり、自爆させたりすることができる」と認める。そのうえで、「中国の大学は、軍事技術を進化させる研究をして成果を出すのが当たり前だという意識が強い。外国の研究者を呼ぶのは、中国にはない技術を母国から流出させてくれると期待しているからだろう」と語った。

内閣府の「科学技術イノベーション政策推進のための有識者研究会」に参加していた専門家は、「千人計画の問題は、数ではない。優秀な専門家に狙いを付けて中国に呼び寄せ、その中に一人でもすごい人がいれば、中国に大きな利益をもたらす」と語る。

「国防七校」にも八人の日本人

今回確認された四四人の中には、中国軍に近い「国防七校」と呼ばれる大学に所属していた研究者が八人いた。

国防七校とは、中国の軍需企業を管理する国家国防科学技術工業局に直属する北京航空航天大、北京理工大、ハルビン工業大、ハルビン工程大、南京航空航天大、南京理工大、西北工業大の七大学を指す。

中国は民間の先端技術を軍の強化につなげる「軍民融合」を国家戦略として推進している。軍民融合については第二章で取り上げるが、日本政府は、日本が保有する軍事転用可能な技術が中国に流出することを強く懸念している。

北京理工大のケースには先ほど触れたが、国防七校の一つ、北京航空航天大にも四人の日本人が所属していた。同大は、ミサイル開発の疑いがあるとして、貨物や技術の輸出時には経済産業省の許可が必要な「外国ユーザーリスト」に記載されている。

同大に所属する宇宙核物理学の研究者は、「軍事転用される危険性はどんなものにでもある」としつつ、「教えているのは基礎科学の分野で、軍事転用とは最も距離がある。経産省の許可も得ている」と強調した。

日本人研究者本人や周りにいる中国人たちが軍事転用をするつもりはなくても、中国では軍民融合戦略に加え、国民や企業に国の情報活動への協力を義務付ける「国家情報法」が施行されている。軍事転用などのリスクの高い機微な技術は当然、中国当局に狙われると考えなければならないだろう。

海外の最先端技術を「メイド・イン・チャイナ」に

千人計画の怖さは、外国人研究者の研究成果を中国自らのモノ、つまり「メイド・イン・チャイナ」にしてしまうところにもある。

代表的なやり方は、外国人研究者に中国人の若手を指導させ、最先端技術と研究手法を身につけさせるというものだ。

千人計画に参加した複数の日本人研究者が、特許の取得や論文執筆に加え、若い中国人研究者を育成することが参加の条件の一つだったと証言する。先ほどの専門家は、「優秀な研究者一人に一〇人の中国人学生をつければ、一万になる。そうやって学生に技術を学ばせ、いろいろな技術を中国が吸収していく。中国は千人計画と連動して『万人計画』も進めている」と解説する。

日本人研究者から指導を受ける中国人の若手研究者は、海外の大学などで学んだ留学経験者が多いが、最近は、中国人研究者が中国国内で育てた第二世代も増えてきているという。第二世代は、中国共産党の思想教育が浸透しており、愛国心が強いのが特徴だ。

千人計画では、外国人研究者に本国の大学で中国人留学生を受け入れさせるケースもある。そうした場合、留学生を通じ、外国の進んだ研究施設をそっくりそのまま中国国内に再現する「シャドーラボ（影の研究室）」が作られることもあるという。

日本人研究者たちが教えた中国の若手研究者が将来、ＡＩやロボット工学の技術を用いて兵器開発に従事する可能性は少なくないだろう。

外国人研究者に中国発で論文を書かせることも、メイド・イン・チャイナ化の一つの手法として行われている。

「著名な科学誌に二本の論文を出すよう求められた」

千人計画に参加した複数の日本人研究者が、中国側から論文執筆のノルマを課され、特に「ネイチャー」「サイエンス」など世界的に著名な科学誌への掲載を求められたと証言する。ノルマが明記された契約書に署名した研究者もいた。

また、複数の研究者が、過去に日本で行った研究のデータを使って論文を書く場合でも、中国の大学の肩書で発表するよう要求されたと口にする。

文部科学省によると、一六〜一八年に発表された世界各国の自然科学系の論文数（年平均）は、中国が約三〇万六〇〇〇本で、米国を抜いて初めてトップに立った。日本は約六万五〇〇〇本で、〇一〜〇三年の二位から四位に順位を下げた。

論文の掲載数は、各国の学術レベルを示す指標とされている。しかし、ある日本人研究者は、「データは母国での研究で得たものなのに、中国の大学名で論文を発表する研究者が多い。中国の論文数は水増しされていると思う」と疑問を呈する。

研究の健全性や公正さを意味する「研究インテグリティ（研究公正）」を確保するためには、論文への貢献度が発表の際に適切に反映されることが重要だ。国立研究開発法人科学技術振興機構・研究開発戦略センターが二〇年にまとめた「オープン化、国際化する研究におけるインテグリティ」によると、米国の科学技術界を代表する全米アカデミーが一九九二年にまとめた報告書「責任ある科学」には、「好ましくない研究行為」の一例として、資金提供などを念頭に、「論文の研究内容に重要な貢献をしていないのに、何々をしてあげたからと、著者に加えることを要求する」ことが挙げられている。二〇〇二年の全米アカデミー報告書でも、「研究の提案および報告への貢献を表す際の正確性」を求めているという。

米政府や議会の支援を受けて独立した立場で調査を行った「ＡＩに関する国家安全保障委員会」が二一年三月に出した最終報告書は、米国からの千人計画参加者は、米国の大学に所属したまま「パートタイム」で中国の研究機関に属しているだけなのに、中国の研究機関に特許を渡す契約に署名させられていると指摘している。
中国が千人計画で外国人研究者に求めていることは、研究インテグリティの面で大きな問題があると言わざるを得ない。

日本の「科研費」を受領しつつ

四四人の中には、日本の「科学研究費助成事業（科研費）」から多額の助成を受けた研究者が多数含まれていた。一三人の研究者が、共同研究を含めた過去一〇年間のそれぞれの受領額が一億円を超えていた。

科研費は、日本の学術研究を幅広く支える補助金だ。国内の大学や研究機関に所属する研究者（学生を除く）を対象に支給される。二〇年度は応募一〇万四一五八件のうち、二七・四％の二万八五六九件を採択し、継続分を含め約二二〇〇億円を配分した。

文科省などが公開している科研費データベースによると、一三人に渡った科研費の総額は約四五億円にも上る。受領額が最も多かったのは、中国沿岸部にある大学に所属していた元教授の七億六七九〇万円だった。

千人計画への参加と同時期に科研費を受領していた研究者も一〇人いた。いずれも日本の大学に所属したまま、千人計画に参加し、科研費からは計三〇件、総額約七億四〇〇〇万円を受け取っていた。

　期間中の受領額が最も多かったのは、中国沿岸部の大学に所属した元教授の六件、計約三億円だった。元教授は取材に、「科研費の研究と千人計画の研究に関連性はなかった。内容がかぶらなければ、海外から資金を受けても問題はない」と主張した。

　北京航空航天大の男性教授は、千人計画への参加と同じ時期に、原子核物理の研究などで三件、計約二億一一〇〇万円の科研費を受けた。教授は「途中から中国の大学との共同研究になったものはある」と明かす一方、「論文で資金の出所は明記しており、不透明ではない」と説明した。

　北京理工大で教授を務めた男性は七件、計約一億三五〇〇万円の科研費を千人計画参加期間中に受領した。男性も「中国では学生に論文の書き方や研究の基礎を教えていた」とし、日本で行った信号を脳に伝える神経細胞などの研究との関連を否定した。世界では、この神経細胞を利用して、イメージするだけでロボットを動かす技術が研究されている。

　日本では二〇年まで、科研費を受領している期間に海外の大学で研究することや、外国から資金を受けることへの規制はなく、政府は実態を把握していない。米国のＡＩに関する国家安全保障委員会は、「中国は米国の納税者の税金を、軍事や経済の近代化につぎ込んでいる」と批判している。日本についても、同じことが言えるのではないか。

千人計画参加のハーバード大教授を起訴

米司法省は二〇年一月、中国湖北省の武漢理工大で千人計画に参加していた事実を米政府に隠し、虚偽の説明をしたとして、米ハーバード大化学・化学生物学科長のチャールズ・リーバー教授を起訴した。

リーバー氏はナノテクノロジーの世界的な権威として知られる。国防総省と米国立衛生研究所（ＮＩＨ）から研究を受託し、一五〇〇万ドル（約一六億円）以上を受け取っていた。リーバー氏はその一方、千人計画に参加し、武漢理工大や中国政府から月給五万ドル（約五四〇万円）、生活費として年間一五万ドル（約一六〇〇万円）を受領。さらに、武漢での研究室設立費用として一五〇万ドル（約一億六〇〇〇万円）以上を受け取っていたことが明らかになった。

「千人計画は、機微な情報を盗み、輸出管理に違反することに報酬を与えてきた」

司法省は訴追資料の中で、千人計画についてこう指摘した。

こうした摘発は氷山の一角だ。前に触れた研究開発戦略センターの調査報告書によると、司法省は連邦捜査局（FBI）と合同で中国の産業スパイの取り締まりを強化する「チャイナ・イニシアチブ」を一八年一一月に開始。FBI幹部は二〇年二月の講演で、中国関連の技術窃盗で一九会計年度（一八年一〇月～一九年九月）に二四人、二〇会計年度は二月までに一九人を逮捕したことを明らかにした。この中には、米政府などの研究費助成を受ける際に千人計画への参加の事実を隠したり、海外所得を納税申告しなかったりした七人の大学教授らも含まれている。

米企業のエンジニアらが千人計画に参加し、技術を流出させた事例も明らかになっている。ゼネラル・エレクトリック（GE）の元エンジニアらは一九年四月、GEのタービン設計技術の窃盗容疑と産業スパイ容疑で起訴されている。

同年一一月には、米大陪審が、米農業化学メーカー大手モンサント（現バイエル）と子会社クライメート社の中国人元社員を機微技術の窃取容疑などで起訴した。中国人元社員は、デジタル農業や土壌肥料などの研究を担当し、三件の米国特許も取得。モンサント勤務中の一七年に千人計画に採用されていた。

中国の人材招致計画に応募した研究者が、米軍の最新鋭ステルス戦闘機F35のエンジンに関するデータを中国に流出させた事例も報告されている。

中国外務省は千人計画について、「正常な学術交流」とし、米国などからの技術窃取の批判に対しては「ありもしない罪をかぶせようとしている」と反論している。

「米政府にうそをつかせる」

千人計画を率いるのは、中国共産党中央組織部だ。中央・地方合わせて九五〇〇万人の党員を束ねる党の中でも強大な力を持つ組織で、千人計画の全ての申請書を最終的に確認し、採用の可否の決定権を握ってきた。

中国の中枢が組織的に推進するプロジェクトだけに、参加する外国人研究者は、巨額の報酬や研究費に加え、家族を含めて外国人永久居留証を与えられるといった特権を享受できる。一方で、中国側は強引なやり方で機微な技術の獲得を図っているようだ。

千人計画のリスクを詳細に調べた米上院小委員会の一九年の報告書は、千人計画が①研究に補助金を出している米国の政府・団体にうそをつかせる　②米国にあるのと全く同じ研究施設を再現するシャドーラボを作らせる　③入手が困難な知的資本を移転させせる——といった米国の科学技術研究の原則に反する行為への動機を与えると指摘する。

この報告書などによると、千人計画の参加者が中国側と交わす契約書では、知的財産を巡る数多くの問題点が判明している。

中国国務院の担当部局が作成した契約書のひな型には、給与、待遇に加え、研究開発された知的財産の所有権に関する条項や秘密保持条項などが含まれているという。実際に交わされたある契約書では、中国政府との契約期間に生み出された知的財産のみならず、研究者が米国の機関に属していた時代に開発したものや、米政府からの補助金で作り出したものに対しても、その所有権が中国政府に属するよう取り決められていた。

いずれの契約書にも、米国に所在する千人計画のメンバーによって創造されたいかなる知的財産も中国の機関がその権利を所有するという条項が含まれていた。米国の研究機関の権利については一切触れられていないという。

身勝手極まりない内容だ。報告書は、千人計画について「米国の経済そして安全保障上の国益を害する」と断じている。ＦＢＩのクリストファー・レイ長官も一九年七月、上院で、千人計画によって知的財産が中国に流出した例が複数見つかっていると指摘し、「補助金などの形で、米国が（中国）経済の再生を事実上支援している」と証言した。

学術研究の自由vs.外国の介入

千人計画などを通じた中国による技術窃取は、学術研究をめぐる米国の自由な風土を利用している面がある。このため米国では、安全保障上の観点から学術研究のあり方そのものを見直している。

ホワイトハウスは一九年五月、米国の科学技術システムに対する外国の不正行為を防止するための共同委員会を設置した。この委員会はケルビン・ドログマイヤー・ホワイトハウス科学技術政策局長の名前で同年九月、学術界に宛てた書簡を公表し、外国政府の資金による人材招致プログラムなどの一部に、米国の研究活動を利用しようとする「受け入れがたい動き」があると指摘した。名指しはしていないものの、中国の千人計画が念頭にあることは疑いようがない。

科学技術関係当局や学術界も、研究インテグリティの確保に自ら乗り出した。

エネルギー省は同年六月、省内の研究者や同省の予算を使う企業、大学などの関係者が外国の人材招致計画に参加することを禁止した。千人計画に参加すれば、エネルギー省から助成を受けたり、調査を受託したりすることをできなくしたのだ。教育省は、大学の外国資金受領状況の調査を強化した。

米国の科学者で作る民間の諮問グループ「ジェイソン」は一九年一二月、国立科学財団の委託を受け、「基盤的研究の安全保障」と題した報告書をまとめた。この報告書は「ジェイソン・レポート」として知られるようになる。

「米国の外国人研究者たちが母国の研究機関や政府のプログラムに参加していることは無視できない。これらの行為は、米国の基盤的研究活動への脅威となっている」

同レポートは、中国の千人計画を念頭に、学術界に向けてこう警鐘を鳴らし、学術界で広がる「外国の影響」への対策を提言している。

研究の場における中国の不正な介入を国家の脅威ととらえる米政府の意向を踏まえたものだが、焦点の一つは、中国の技術窃取に対抗するため、自由で開かれた学術研究に制約をかけるべきかどうか、という点だった。

この問題に答えを出すには、米国の科学技術の歴史を振り返る必要がある。米国では外国人科学者が学術研究をリードしてきた。同レポートによると、二〇世紀における米国の科学技術の進歩は、「国外から移住した外国生まれの発明者たち」に支えられた。国家社会主義とファシズムの台頭は、それを嫌う人材の米国への流入を促し、世界トップクラスの科学者や数学者が集まるようになった。こうした「科学移民」は、核兵器の開発を主導したマンハッタン計画を含め、米国の科学技術力の進展に大きく貢献した。

この流れは戦後にも引き継がれた。旧ソ連が西側諸国に先駆けて人工衛星の打ち上げに成功した一九五七年の「スプートニク・ショック」をきっかけに、米国は国家安全保障を目的とした科学研究に力を入れ始める。安保関連の研究に巨額資金を投入するためのファンドとして、国防総省に五八年、「国防高等研究計画局（DARPA＝ダーパ）」が設立された。資金を求めて人材がさらに集まるようになった。

多様な人材は、科学分野のノーベル賞の受賞者数に表れている。戦後から二〇一九年初頭までの間、一六人のアジア系米国人が科学分野のノーベル賞を受賞した。このうち、最も多い八人を輩出したのが中国系だった。二位が日系の五人、三位がインド系の三人と続く。

研究成果が花開くにつれて、「高等教育のグローバルセンター」として世界から米国に優秀な人材が集まる好循環が生まれたが、一方で、課題も生じた。米国の理系の大学院では、米国人研究者と外国人研究者の割合が逆転した。

一九九五年から二〇一五年までの間、米国の大学生の総数は四五％増えたが、留学生は四八〇％も増加した。同じ期間、電気工学分野の米国人大学院生は一七％減少し、外国人留学生は二七〇％増加した。こうした逆転現象は、電気、土木、機械、工業、化学、石油工学などで顕著にみられるという。

国別で目立つのは、ここでも中国だ。物理科学の分野では、博士課程の四〇％以上を外国人学生が占め、国別トップは中国だ。インド、韓国が続く。この三か国で外国人博士号取得者の約半数を占め、中国だけで三四％に上っている。

中国が二〇〇〇年頃から、ハイテク分野やＡＩ、量子技術といった新興技術に対する研究開発投資を増やしたことを背景に、米国では理系の大学院や研究機関に移籍する中国人が増えたという。これに伴い、中国側の技術窃取が水面下で本格化することになる。

「米国の優位性が明確に失われている」

世界から優秀な頭脳が集まり、研究成果が米国に還元されるはずが、気がつくと外国に流出していた――。

ジェイソン・レポートは、米国のオープンな学術環境を悪用して外国が技術窃取を実行している実態を詳述している。研究インテグリティを害するような外国の不正な影響行使の手法についても、情報機関などの協力を得て詳細に分析し、四つのタイプに分類した。

一番目は、高額の給料、住居、立派な肩書や研究費、研究施設などの報酬である。こうした報酬は、米国を含む多くの国でも普通に見られるが、研究の公正さを害する行動を取らせる動機になり得ると指摘した。そうした行動には、承認を得ないで行う情報共有、試作品などの窃盗、米国の研究グループへの外国人留学生の参加を認めることなどが含まれる。報酬を所属組織に知らせないことが条件となっている場合もある。

二番目は、詐欺的手法だ。外国人研究者が母国で軍や治安機関、軍系の大学などに所属していることを隠すことが代表的な例だ。米国に来て、極超音速やＡＩといった機微技術を学ぼうとしている留学生が、目的を偽ることもある。

三番目は、脅迫や強制といった威圧的手法である。脅迫は、社会的な非難から肉体的な苦痛までを含む。外国人留学生の場合、情報収集などの依頼を断れば、母国から奨学金を停止されるといった形式を取る。法律によって情報機関や治安機関に協力するよう要請されることもある。米国の研究者の場合には、資金や名声、外国での特権的地位を失うと脅されることがある。人材招致プログラムの契約に、参加を明かさないようにする条項が含まれている場合、脅迫に使われると指摘している。

四番目は、知的財産の窃盗だ。サンプル、試作品、ソフトウェア、文書やアイデアといった研究成果が失われることを意味する。外国人研究者は米国の研究者に比べ、研究中の知的財産を流出させやすいとしている。

同レポートはそのうえで、「米国の科学倫理の価値を損ねている」と中国に厳しい目を向ける。「中国政府だけが（標的となる技術の）情報収集をしているわけではない」としつつも、「おそらく最も強大で、組織されている」のが中国だと強調した。特に、国家情報法が国民に情報機関への協力を義務づけ、協力したことを口外しないよう求めていることに懸念を示している。そして、中国による研究への不正な介入が、「より長期的に見れば、経済安全保障や国家安全保障に対する脅威となる状況である」と分析を加えている。

ジェイソン・レポートがここまで中国の脅威を強調するのは、学術研究成果で米国が中国に追い越されようとしていることも関係している。

学術論文の発表数に関していえば、中国は一三年までに、物理と宇宙に加え、化学、再生可能エネルギー、コンピューターサイエンス、量子コンピューター、ＡＩ、ナノテクノロジー、原子力工学、物理科学、生物学などの分野で、米国をリードした。同レポートは、「二一世紀のはじめの一〇年で、特に科学・テクノロジー分野における米国の優位性が明確に失われている」とし、「米国の国家安全保障にとって次第に重要になっているAIや極超音速などの分野において、中国が世界のリーダーであることは疑念がない」と認めている。

こうした現状分析を踏まえ、レポートは「利益相反」の完全な情報開示の必要性を勧告した。外国人研究者については、出身国などから資金を受け取りながら、米政府や米国機関の助成も受けて研究を行っている場合、技術流出の懸念が生じるとし、「外国人研究者には全ての所属、学位、修了課程を開示することを求める」と明記した。情報開示を守らない場合には、研究成果の捏造などと同等の法的処罰を与えることにも言及した。

ジェイソン・レポートを受け、国防総省や大学における基礎研究などに資金を提供する事業を行っている国立科学財団などは、研究資金の申請時に利益相反に関する情報開示を徹底する措置をとった。

そのうえで、財団の研究費と外国研究費の重複受給を開示していなかった二五のケースに対し、研究費の取り消しや停止の措置を講じたという。

危機感も、規制も遅れる日本

これまで見たように、米国では、外国との共同研究や資金受け入れの透明化を徹底し、安全保障上のリスクを取り除く取り組みが進んでいる。しかし、日本では危機感が薄く、千人計画への参加に関する規制は遅れている。

読売新聞が二一年元日の朝刊で日本人の千人計画参加の問題を報じると、ツイッターなどで「若手研究者が国内でポストを見つけられず、中国に行かざるを得ないことが問題だ」「日本で研究が続けられるように、中国より良い待遇にすればいいだけだ」といった反論があった。

確かに、取材に応じた研究者のほとんどが、日本の科学技術政策への不満を口にした。北京航空航天大で一七年から宇宙核物理学を研究する男性教授は、日本にいた時よりもはるかに多い、五年で約一億円の研究費を得た。男性教授は、「日本の研究者は少ない研究費の奪い合いで汲々としており、大学に残る人は減って、結果として科学技術力が低下している」と語った。

日本では博士号を取った後、不安定な任期付きポストに就く「ポスドク（ポストドクター）」と呼ばれる研究者が多い。一四年に中国に渡り、一六年頃から浙江省の千人計画に参加している男性教授は、「研究職は中国の若い人にとって魅力的な職業だが、日本ではいつクビを切られるか分からないハイリスクな職業になっている」と指摘した。

文科省によると、日本の科学技術予算は二〇〇〇年以降、長らく横ばいが続き、二〇年には四兆三七八七億円だった。これに対し中国は、二〇〇〇年の三兆二九二五億円から一八年には二八兆円となり、米国などを抜いて世界トップになっている。

日本では〇三年に約一万二〇〇〇人いた修士課程から博士課程への進学者が、一八年は約六〇〇〇人に半減した。引用論文数の国別順位でも、世界四位だった〇四〜〇六年以降、中国やフランスなどに抜かれ、一四〜一六年は九位に落ち込んだ。

科学技術予算の増額やポスドク問題への対応は、日本政府が取り組まなければならない重要な課題である。政府も危機感を強め、二一年度から、先端分野を専攻する博士課程の約一〇〇〇人に一人あたり年間二三〇万円程度を支給するほか、一〇兆円規模の基金を設け、若手研究者らの処遇改善などを進める。

日本の研究環境の改善は必要だが、日本人研究者の千人計画参加問題に対するこうした観点からの反論の多くは、軍事転用可能な技術が安全保障に与えるリスクを軽視しており、一面的と言わざるを得ない（この点は第二章で詳述する）。

また、前述したように、千人計画に採用された日本人研究者の多くは、旧知の中国人研究者から厚遇で招致された。軍事転用可能なものなど、中国にとって価値のある技術や情報を持っているためだ。

日本で教授などのポストが得られないため、中国に渡って研究を続ける若手研究者が、その時点で千人計画に採用されるケースは極めてまれだ。参加者の一人は、「応募資格条件がかなり厳しい。学位を取得した大学が世界の大学ランキングで二〇〇番以内といった条件のほか、受賞歴などの項目が二〇ぐらいあった」と証言する。議論する際には、若手研究者の研究環境と千人計画の間に直接的な関連は少ない点に留意すべきだろう。

日本の研究環境が中国に比べて悪いからと言って、研究インテグリティに反するような技術流出に目をつぶっていい理由にはならない。

現状のままでは、日本の大学は技術流出に甘いと、米国などから懸念をもたれかねない。

「このままだと、日本の大学は最先端の研究で知られる米国の名門大学とは共同研究ができなくなる」

経産省幹部はこう懸念を口にする。

内閣府の委託事業として二〇年秋に設置された「研究インテグリティに関する検討会」（座長＝白石隆・熊本県立大学理事長）は、「研究開発活動における国際ネットワークの強化が推進される一方で、国際的に科学技術情報の流出等の問題が顕在化しつつある」として、研究インテグリティを確保する必要性を強調した。

二〇年一〇月二八日の検討会資料では、外国からの不当な影響について、「国家安全保障上の問題が生じる」「知的財産権を奪われる」「製造業等の市場を奪われる」「第三国の人権が侵害される」といったリスクを例示している。

ところが日本の学術界は、こうしたリスクを回避する問題意識が欧米に比べ希薄だった。千人計画に参加していた日本人研究者の一部も、米国の基準などに照らせば、軍事転用を含む研究インテグリティに無頓着だったと言わざるを得ない。

千人計画に関連する研究インテグリティの確保策も含め、政府の取り組みについては、第五章でまとめて論じることにしたい。

第二章　軍民融合の脅威

前章に続いて本章では、千人計画がなぜ安全保障の問題なのかという点を掘り下げていきたい。鍵となるのは、民生と軍事が重なり合う「デュアルユース（両用）技術」の急速な進展だ。

新型コロナ「研究所起源説」が出た理由

二〇一九年一二月に中国・武漢で感染の広がりが確認された新型コロナウイルスの発生源について、米メディアは二〇年四月、中国科学院武漢ウイルス研究所の所員から外部に拡散したとの見方を報じ、トランプ大統領も「つじつまが合うようにも思う」と語った。マイク・ポンペオ国務長官も五月三日のＡＢＣテレビの番組で、「ウイルスが武漢の研究所から出たことを示す多くの証拠がある」と明言した。

バイオテロに詳しい元防衛省幹部によると、日本政府の一部にも当時、「新型コロナが最初に広まったとされる海鮮市場近くにウイルス研究所の関連施設がある。そこで研究員が感染し、隣接した病院でクラスターが起きた」とする説が可能性の一つとして語られていたという。

しかし、二一年三月三〇日に世界保健機関（WHO）が公表した報告書では、①野生動物からの直接感染　②中間の動物を介した感染　③冷凍食品に付着したウイルスからの感染　④武漢ウイルス研究所からの流出――の四つの仮説について検証し、②の中間動物を介した感染が「可能性が高い」か「非常に高い」という認識を示した。ウイルス研究所からの流出については、「極めて可能性が低い」とした。

この報告書はWHOが組織した専門家一七人と中国政府側の中国人専門家一七人が共同で執筆しており、独立性に強い懸念があるが、いずれにしても研究所起源説の科学的な証拠は見つかっておらず、この時点では、研究所起源説をトランプ氏による「陰謀論」だとする見方が強かった。

ただ、トランプ政権（一七年一月～二一年一月）や日本政府の一部に武漢研究所流出説が出たのは、全く根拠がないわけではなかった。遺伝子を効率よく改編するゲノム編集技術の飛躍的な進歩を踏まえ、米政府が新型コロナの発生以前から、「ゲノム編集や遺伝子組み換えの技術がいずれ軍事的に使われかねない」と懸念を強めていたことが背景にあった。

軍用技術の開発で戦後、一貫して世界をリードする米国防総省のＤＡＲＰＡは近年、ゲノム編集技術の悪用から社会を守る技術の開発に力を入れている。

「敵のゲノム編集攻撃をブロックする技術や、遺伝子を書き換えられてしまった時に元に戻す技術を研究している」

二〇年二月にＤＡＲＰＡを視察した防衛医大の四ノ宮成祥（なりよし）教授は、開発担当の幹部からこう説明を受けた。技術の進歩で人工的にウイルスを作製することが容易になった反面、ウイルス兵器が開発される懸念も増した。ＤＡＲＰＡはこうした攻撃に備え、一七年から四年間で約七〇億円の軍事予算を投じ、研究を急いでいるという。

一八年一一月、中国の研究者がゲノム編集技術で受精卵を操作して双子を誕生させたと発表し、世界に衝撃を与えた。四ノ宮氏は、「ゲノム編集を行うウイルスを作製し、特定の人種の遺伝子配列を書き換えるように攻撃することが可能ではないか」と懸念を示す。

トランプ政権は一七年の国家安全保障戦略で、「我々の健康、経済そして社会に有益な生命科学の進展は、それを悪用しようと望む関係者にも新たな道を開く」とし、ゲノム編集などのバイオ技術についても安全保障の問題として取り組む必要性を強調した。一八年には「国家バイオディフェンス戦略」を策定し、感染症や生物兵器の脅威に省横断で対処する備えを強化した。

同戦略では、パンデミックにつながる可能性のある病原体を研究する施設に対し、その安全性に関する監視機能を高める必要性も打ち出していた。

この方針に関連し、米紙ワシントン・ポストは二〇年四月一四日の電子版で、米外交官が一八年に武漢のウイルス研究所を訪れ、施設の安全面に脆弱な点があるとする公電をワシントンに送っていたと報じている。一八年一～三月に米国の駐武漢総領事や在北京大使館員らが研究所を訪問し、コウモリのコロナウイルスを研究する専門家らと面会した結果、「施設の安全な運営に必要である適切な訓練を受けた技術者や研究者が不足している」「コウモリから人へ感染し、重症急性呼吸器症候群（ＳＡＲＳ）のような病気を引き起こす可能性がある」などと危険性を指摘していたという。

武漢のウイルス研究所を通じて未知のウイルスが拡散される可能性は、新型コロナの流行前から俎上に上っていたわけだ。笹川平和財団の角南篤（すなみ）理事長は、「中国はすさまじい人海戦術で動物実験をどんどん進めている。米国は安全保障上の懸念を強めている」と解説する。

一見すると突拍子もないように見えたトランプ政権の武漢ウイルス研究所起源説だが、DARPAをはじめとした研究や政府内の想定シナリオが背景にあったとみられる。厚生労働省幹部は「米国の近年の取り組みから考えると、疑うのも自然だと思った」と振り返る。

二一年五月下旬、研究所起源説が改めて注目を集めることになった。複数の米メディアが二三日、中国・武漢のウイルス研究所の研究者三人が一九年一一月に新型コロナと似た症状を発症し、病院で治療を受けたとする米情報機関の報告書の内容を報じたためだ。さらに、この報道を追認するように、バイデン大統領も二六日、研究所からの流出説を含め、情報機関に徹底的な再調査を指示した。トランプ政権からバイデン政権に代わっても、米政府は武漢研究所流出説を捨てていなかったのである。

この問題は、英南西部コーンウォールで六月一一日から一三日まで開かれた先進七か国首脳会議（G7サミット）でも議論され、中国に対してWHOの再調査を受け入れるよう迫った。サミット終了後に出された首脳宣言は、感染症について、各国が「透明性と説明責任を強化すること。これには、起源不明の感染症発生に係る調査、報告及び対応を含む」としたうえで、「中国におけるものを含む、適時の、透明性のある、専門家主導で科学に基づくＷＨＯによる第二段階の新型コロナウイルスの起源に関する調査の実施を求める」と明記した。

民生と軍用が重なり合う「デュアルユース」

ゲノム編集や遺伝子組み換えなどのバイオ技術は元々、民間で役立てるために研究されてきたものだ。新型コロナ感染拡大でも、ワクチン開発に新技術が活用された。日本でも接種されている米製薬大手ファイザーのワクチンは、短期間で大量に人工合成できる遺伝物質のメッセンジャーＲＮＡ（ｍＲＮＡ）を主成分に使っている。通常の技術ではワクチン開発には一〇年以上かかるとされるが、新たな技術によって開発開始から一年弱で接種が始まった。

ファイザーと同じメッセンジャーＲＮＡを主成分とするモデルナ製ワクチンの開発には、ＤＡＲＰＡが一三年に約二五億円を助成していた。生物兵器による攻撃を想定し、短期的には経済合理性の低い先端バイオ技術の研究開発を後押ししてきたことが、早期開発につながったのである。

ただ、繰り返しになるが、バイオ技術はこうした有効な活用法だけでなく、ウイルス兵器の開発にも利用できる。第一章では、民間の最先端技術が軍事転用されるリスクの例としてＡＩドローンを示したが、このリスクは今や、想像以上の広がりを持っている。

このように、民生でも軍事でも活用できる技術を「デュアルユース技術」と呼ぶところの章の冒頭で紹介した。軍事的優位性や経済競争力を確保する観点からも重要性が高く、「新興技術」や「機微技術」とも呼ばれるデュアルユース技術とは、具体的にどのような技術が含まれるのか。専門的な用語が続くが、少し我慢してお読みいただきたい。

米国は一八年、輸出管理改革法を制定し、米国の安全保障にとって重要とみられる「新興・基盤的技術」について、包括的な規制を行うための制度作りを定めた。

商務省はこれを受け、輸出を規制する必要がある「新興技術」について検討を始めた。その対象として、①バイオテクノロジー　②ＡＩ、機械学習　③全地球測位システム（ＧＰＳ）などの測位技術　④コンピューターの演算処理を担う半導体チップなどのマイクロプロセッサー技術　⑤先進コンピューティング技術　⑥データ解析技術　⑦量子情報、量子センシング（計測）技術　⑧輸送関連技術　⑨３Ｄプリンターのような付加

製造技術　⑩ロボット工学　⑪脳と機械をつなぐブレイン・マシン・インターフェース　⑫極超音速　⑬先端材料　⑭先進監視技術――の一四分野が指定された。

①のバイオテクノロジーについてはこの章の冒頭で触れたが、その他の主要な新興技術について補足したい。②のAI、機械学習は、大量のデータから規則性などを見いだす「ディープラーニング（深層学習）」、別人の口元や表情の動きを著名人の顔に合成するといった偽の動画「ディープフェイク」、画像理解、機械翻訳などを含み、ビジネスだけではなく、様々な軍事システムにも応用可能だ。

③の測位技術は、カーナビやスマートフォンの位置情報に使われているものだが、もともとは軍事利用を目的に開発され、精密誘導兵器などに利用されている。

⑦の量子技術は、世界最速のスーパーコンピューターで何年もかかる計算を瞬時にやってのける実力を持つ。金融の最適化や新薬の研究開発などに役立つ一方、軍事的にも、これまで破られなかった敵の暗号を解読したり、敵のステルス戦闘機を探知したりすることに利用できるとされ、従来の作戦構想を覆す「ゲームチェンジャー」になると期待されている技術だ。

⑩のロボット工学は、マイクロドローンやマイクロロボットシステム、小型無人機を

群れとして運用する「スウォーム（群れ）飛行」の技術などを含む。第一章で取り上げた「殺戮ドローン」などに活用できるものだ。

⑪のブレイン・マシン・インターフェースは、兵士が頭で想像するだけで戦闘機を自在に飛ばすことなどが想定されている。この分野は日本でも研究が進んでいる。両手でパソコンを打ちながら、肩の辺りに取り付けた三本目の腕を使ってコーヒーを飲む、といったことが可能になっているという。

⑫の極超音速は、音速の五倍以上もの速さで飛ぶ技術で、中国やロシアは既に極超音速滑空兵器を開発・保有しているとみられている。

⑭の先進監視技術は、顔認証や声紋認証の技術だ。中国は、国中にめぐらした監視カメラのネットワークと顔認証技術によって、新疆ウイグル自治区などの人権活動家に対する監視システムを確立しているとされる。米政府は、新興技術が独裁国家の市民監視に利用されていることに、強い懸念を表明している。

米政府は二〇年一〇月、「重要・新興技術のための国家戦略」を発表した。戦略的競争相手から守るべき重要・新興技術は、①先端コンピューティング　②先端在来型武器技術　③先端エンジニアリング素材　④先端製造　⑤先端センサー　⑥航空エンジン技

術　⑦農業技術　⑧ＡＩ　⑨自動化技術　⑩バイオ技術　⑪化学・生物・放射線物質・核軽減技術　⑫通信・ネットワーク技術　⑬データサイエンスおよびストレージ（保管や共有）　⑭分散型台帳（ブロックチェーン）技術　⑮エネルギー技術　⑯ヒューマン・マシン・インターフェース　⑰医療・公衆衛生技術　⑱量子情報科学　⑲半導体・微細電子工学　⑳宇宙技術――の二〇分野となった。

デュアルユース技術が広範囲にわたることがおわかりいただけると思う。

科研費も軍事研究に活用される

デュアルユース技術については、日本の経済産業省も一七年度に委託調査を行っている。

三菱総合研究所が一八年三月に経産省に提出した報告書「大学における研究分野と外為法リスト規制項目との関連度等調査」によると、一八年度に科研費の助成を受けた大学の研究を対象に、「武器、兵器、大量破壊兵器に関連する研究」があるかどうかを調べた。その結果、三一区分が、外国為替及び外国貿易法（外為法）に基づき輸出が規制されるリストに抵触する蓋然性が高い「黒」と判定された。二九区分が蓋然性が中程度の「グレー」、蓋然性が低い「白」は二三区分だった。

「黒」と判定された研究をいくつか見てみよう。

〈生体関連化学〉バイオテクノロジーの研究が実施されており、ウイルスや細菌の一部は大量破壊兵器をはじめとする軍事技術に利用される恐れがある

〈知覚情報処理関連〉センシングの研究が実施されており、その研究成果としての画像処理技術の一部はロボット等の制御に使われる軍事技術に利用される可能性がある

〈航空宇宙工学関連〉ロケット推進装置の一部は大陸間弾道弾をはじめとする軍事技術に利用される可能性がある

〈通信工学関連〉アンテナの一部は通常兵器の一部として戦車や艦艇に搭載される可能性がある

〈電気電子材料工学関連〉半導体の研究が実施されており、その研究成果の一部は半導体レーザーをはじめとする軍事技術に利用される可能性がある

〈高分子材料関連〉研究成果としての炭素繊維の一部は航空機の部材をはじめとする軍事技術に利用される可能性がある

このように、科研費が投じられた研究の中にも、軍事転用が懸念される技術が含まれている場合が少なくないのである。

多額の科研費を受領した日本人研究者が千人計画に参加している問題を第一章で取り上げたのは、単に日本の税金が入った研究成果が中国に移転しかねないというだけでなく、日本の安全保障を脅かしかねない民生技術の軍事利用を防ぐのが容易ではなくなっているためでもある。

中国が掲げた国家戦略

デュアルユース技術について日米の状況を紹介したが、実は、最も進んだ認識を持っているのは中国だと言っても過言ではない。中国は、民間の先端技術を活用して軍備増強を図る「軍民融合」を国家戦略に掲げているからだ。

軍民融合戦略とは、どんな戦略か。一九年版の日本の防衛白書は、次のように解説している。

中国は、従来から、緊急事態における民間資源の軍事利用（徴用を含む。以下同じ。）を目的として国防動員体制を整備してきましたが、近年、国家戦略として軍民融合を推進しています。軍民融合とは、国防動員体制の整備に加え、緊急事態に限られない平素からの民間資源の軍事利用や、軍事技術の民間転用などを推進するものとされています。

軍民融合の推進により、ハイテク分野をはじめとする民間技術の軍事転用で中国軍の軍事力強化の効率性が向上することが見込まれます。実際、一七（平成二九）年の軍民融合発展委員会の第一回会議などにおいて、習近平主席は、軍民融合の重点分野の一つとして海洋、宇宙、サイバー、人工知能（ＡＩ）といった中国にとっての「新興領域」とされる分野における取組を強調しているとされています。また、生産段階から徴用を念頭に置いた民生品の標準化を行うことで、効果的な徴用が可能となることなどが見込まれます。こうしたことから、軍民融合が今後、中国軍の作戦遂行能力の向上に与える影響が注目されます。

中国政府は〇六年に、二〇年までに世界トップレベルの科学技術力を持つイノベーション型国家へ転換することを目標に掲げた。そのために「軍民分離の科学技術管理体制を改革し、軍民が結びついた新しい体制を確立」すると宣言した。具体的には、国営企業、大学・研究機関、民間企業が総力を挙げて軍事研究・開発に従事する体制の整備に力を入れている。第一章で取り上げた国防七校も、この中で軍事研究を担う位置づけが明確にされたのである。

軍民融合の方針をより深化させ、国家戦略に格上げしたのが習近平国家主席だ。一五年三月の全国人民代表大会（全人代）では、軍民融合を国家戦略とする考えが表明された。一六年七月に発表した軍民融合戦略に関する方針では、「科学技術・経済・軍事において機先を制して有利な地位を占め、将来の戦争の主導権を奪取する」と強調した。一七年一月には、習氏自らをトップとする「中央軍民融合発展委員会」を設立し、軍民融合を強力に推進している。

防衛研究所がまとめた中国の軍事情勢に関する報告書「中国安全保障レポート二〇二二」によると、中国の国防白書二〇一九は「新たな科学技術革命と産業革命の推進の下、人工知能（AI）、量子情報、ビッグデータ、クラウドコンピューティング、モノのインターネット（IoT）など先端科学技術の軍事分野における応用が加速」するとの見通しを示しているという。

このように、中国は民間技術を中国軍の優位性につなげようと血眼になっているのである。

「中国製造二〇二五」の重点一〇分野

軍民融合とセットで覚えておきたい中国の戦略が、一五年に策定された「中国製造二〇二五」だ。二五年までに「製造強国」に仲間入りし、建国一〇〇周年となる四九年までにAIなどの最先端分野で世界市場の大半を占めることを目指すものだ。

米国の戦略家エドワード・ルトワック氏は一八年一〇月一三日付読売新聞朝刊のインタビューで、「中国が世界中のコンピューターを作り、米国は大豆を作っていろ、という内容だった。これでは米国に対し、『対決しか選択肢がないですよ』と言っているようなものだ」と同戦略に対する米国の憤りを代弁した。

中国製造二〇二五は、「軍民融合の発展を促進」することを基本原則の一つとして明記している。前述の中国安全保障レポートは、「軍民融合に加えて国際成長力のある製造業を構築することが総合国力を向上させることにつながり、ひいては国家安全保障に資することになるとの認識が示されており、同構想が軍民融合の方向性および国家目標と密接に関わっていることがうかがえる」との分析を示す。

中国製造二〇二五では、①高速・大容量通信規格「５Ｇ」などの次世代情報技術　②ハイエンド工作機械・ロボット　③航空・宇宙用設備　④海洋工程設備・ハイテク船舶　⑤先進的軌道交通設備　⑥省エネルギー・新エネルギー自動車　⑦電力設備　⑧農業用機器　⑨新材料　⑩バイオ医薬・高性能医療機器――の一〇の重点分野を掲げている。先ほど日米の事例で見たデュアルユース技術と重なる分野も少なくない。

中国は二一年から二五年までの新五か年計画で、ＡＩや量子技術、半導体、脳科学、遺伝子・バイオテクノロジーなどを重点分野に挙げ、研究費を二〇年実績と比べて一・五倍に増やす方針を示した。

中国は、なりふり構わずにこの戦略の実現に突き進んでいる。

「中国未掌握コア技術リスト」と題した中国語の報告書が一九年初め頃、日本政府に持ち込まれた。

「半導体材料　日本企業はフォトレジストなど一四の重要材料分野で五〇％以上のシェア」

「炭素繊維　日本の東レ、東邦テナックス、三菱レイヨンに独占されており、現在、中国では（高強度の）T800をまだ完全に量産することができない」

レジストは半導体の基板に塗る感光剤で、日本政府が一九年七月、韓国に対する輸出管理を強化した半導体材料三品目の一つだ。T800は航空機の素材にも使われている。

リストは、中国の大手投資ファンド所属の「宋景」という人物が一七年に作成したもので、中国が保持していない六三件の産業技術と、それを持つ日本などの外国企業・研究機関の名前を列挙していた。「半導体」「超高精度精密工作機械」「産業ロボット」「精密計測機器」「炭素繊維」「海底ケーブル」「スーパーコンピューター」「レーザー核融合」などの技術が並ぶ。リストは最後に、「アメリカ・日本が現在何をしているのかをみれば、今後の世界の発展の方向を知ることができる」と総括している。

当時、リストを目にした経産省幹部は、「『中国製造二〇二五』に沿って獲得すべき外国の先端技術を調べ上げている。標的リストだと直感した」と振り返る。

中国の半導体製造大手、長江メモリー・テクノロジーズは二〇年四月一三日、世界トップレベルの高性能フラッシュメモリーの開発に成功したと発表した。同社は新型コロナウイルスの蔓延が最初に始まった中国・武漢市に拠点を持つ。発表は、武漢の都市封鎖が解除されてからわずか五日後のことだった。

同社は、習近平国家主席の母校・清華大学を母体とするＩＴ大手「紫光集団」の子会社で、一六年に設立されたばかりだ。

半導体分野では、中国の技術はまだ、先行する台湾や日米韓に追いついていない。中国は、回路線幅一〇ナノ（ナノは一〇億分の一メートル）以下の高性能半導体を単独で作ることはできない。

紫光集団は、米企業の買収や台湾の技術者集団、日本の半導体大手幹部の引き抜きなどで急成長したとされる。中国政府の資金援助を受けており、失敗に終わったものの、日本の東芝メモリ（現キオクシア）や米マイクロン・テクノロジーの買収を画策したこともあった。

技術管理に詳しい同志社大の村山裕三教授は、「リストに掲載された有力メーカーが、いつ狙われてもおかしくない」と話す。

最先端技術で中国軍が米軍をリード

ここからは、軍民融合戦略の下、中国軍が最先端技術をどう軍事的な優位性につなげているのかを見てみよう。

象徴的な例が、AIを使ったドローン編隊による攻撃だ。一八年版防衛白書は、中国のこの技術を次のように紹介している。

中国国内で開発が進められており、軍事転用の可能性がある最先端技術の一例として、無人機の「スワーム（群れ）」技術があります。一七（平成二九）年六月に中国電子科技集団公司は一一九機からなるスワーム技術を披露し、米国の記録を破りましたが、このスワーム技術と人工知能が結びついた場合、人工知能が敵の行動や戦場環境の変化を認知した上で、無人機が柔軟に各種作戦を行う可能性があることなどから、軍事面でのインパクトの大きさは各所で指摘されています。

第一章で、殺戮ドローンの「スローターボッツ」が人間を襲う話を紹介したが、軍事的にも、ドローンのスウォームが部隊を攻撃したり、航空機を墜落させたりする作戦が行われる可能性がある。ドローンの軍事利用では、アゼルバイジャン領ナゴルノ・カラバフ自治州を巡る二〇年の大規模戦闘で、それまで劣勢だったアゼルバイジャン軍が、徘徊型のドローンを駆使した戦術を取り入れ、アルメニア軍に圧勝したことが注目を集めた。また、内戦下のリビアで、ＡＩが自ら標的を選択し、殺害する「自律型致死兵器システム（ＬＡＷＳ）」が使用されたとみられる。

極超音速滑空兵器も、新興技術を軍事転用した事例として外せない。中国は既に、独自の測位衛星システムと極超音速滑空兵器を結びつけ、米空母や艦船、地上目標をピンポイントで攻撃できる能力を手に入れつつある。

中国は一九年一〇月の建国七〇周年軍事パレードで、極超音速滑空兵器を搭載する中距離弾道ミサイル「ＤＦ（東風）17」をお披露目した。マッハ８程度で飛翔し、比較的低空をジェットコースターのように上下左右に曲がりながら飛ぶことができるとされる。

米軍や自衛隊が配備しているミサイル防衛システムは、放物線を描いて直線的に落下してくる弾道ミサイルや、速度がそれほど速くない巡航ミサイルを想定したもので、極超音速滑空兵器を迎撃する能力を現在、日米は持っていない。

米軍は、極超音速滑空兵器の迎撃を可能にする新たなミサイル防衛システムを急ピッチで研究開発中だが、ＤＦ17の極超音速滑空兵器はしばらくの間、米軍に大打撃を与えることが可能な「ゲームチェンジャー」となる兵器と言っていいだろう。

東アジアで米軍を凌駕

ここで本題から少し外れるが、中国軍の実力を検証してみたい。

中国軍と米軍のどちらが強いのか、という問いに、日本人の多くは「米軍の方が圧倒的に強いに決まっている」と答えるのではないか。確かに、米軍の全戦力と中国軍が太平洋の真ん中で向かい合って一斉に戦闘を開始すれば、米軍が勝利するのは間違いないだろう。

しかし、現実に想定される台湾有事や尖閣諸島有事、南シナ海有事などでは、中国軍は全戦力を本土から迅速に投入できるのに対し、米軍で当初から戦闘に参加できるのは、在日米軍を中心に前方展開している部隊だけである。米インド太平洋軍によると、米本土から西太平洋まで戦力を増派するのに、最低でも三週間はかかる。

もう少し具体的に見てみよう。中国の航空戦力は、自衛隊と在日米軍を数で圧倒している。防衛省によると、二〇年度末時点で、中国の爆撃機、戦闘機などの作戦機の数は約二九〇〇機に上る。このうち、自衛隊のF15と同等の第四世代機、F35と同等の第五世代機の戦闘機が一一四六機を占める。これに対し、自衛隊の作戦機は約三五〇機。在日米軍は空母艦載機を含めて約二〇〇機で、自衛隊と在日米軍の合計でも中国の五分の一以下の約五五〇機にとどまる。第四、第五世代の戦闘機数も、自衛隊三一三機、在日米軍一八六機の四九九機で、中国の半分以下だ。第五世代のステルス戦闘機に限れば、中国のJ（殲）20二四機に対し、自衛隊はF35を二一機、在日米軍もF35二四機を有し、日米が優位を保つ。米軍は合計で四八〇機以上の第五世代機を保有し、比較的短時間に日本に展開させることも可能だ。ただ、中国は後述するミサイルによる先制攻撃と大量の戦闘機投入によって、航空戦で日米同盟を圧倒してしまうという見方が出ている。

海軍力でも中国は既に、「世界最大の海軍」（米国防総省）になっている。さらに、米インド太平洋軍がまとめた二五年時点の西太平洋における米中の戦力比較予想によると、空母は中国三隻に対し米軍一隻、戦闘艦は中国一〇八隻に対して米国一二隻などと、やはり中国軍の戦力が大きく上回る。

そのうえ中国は、中距離弾道・巡航ミサイルを多数保有し、米軍の介入を阻止する「接近阻止・領域拒否（A2AD= Anti Access Area Denial)」の能力をほぼ完成させている。A2ADとは、伊豆諸島からグアムに至る「第二列島線」の内側で米軍の作戦行動を阻み、日本の南西諸島とフィリピンを結ぶ「第一列島線」内に米軍を入れないという中国の軍事戦略だ。

一九九六年の台湾海峡危機では、中国軍が台湾周辺でのミサイル演習で台湾総統選に影響を与えようとしたのに対し、米国は米空母二隻を台湾近海に派遣し、中国に軍事圧力を加えた。中国は米軍の脅しに屈し、ミサイル演習などの挑発行為を停止せざるを得なかった。中国はこれを屈辱と受け止め、Ａ２ＡＤ戦略のためにミサイル攻撃能力を磨いてきた。

その象徴が、米空母を狙い撃ちできる「ＤＦ21Ｄ」ミサイル、別名「空母キラー」の開発・配備だ。台湾海峡危機の際、米軍は空母で中国を威圧できたが、現在は、軍事的な緊張が極度に高まった局面では、米空母はＤＦ21Ｄの射程圏外に退避するとみられている。米軍はその代わり、第一列島線内に海兵隊や陸軍を小規模に分散展開し、中国軍の侵攻などに即座に対処する戦略を描いているという。だが、中国のＡ２ＡＤ戦略は、米軍の作戦に大幅な制約を課すことが可能になっているのだ。

中国のミサイル攻撃能力は、在日米軍基地をもターゲットにしている。米空軍系の「ランド研究所」が一一年に発表した「驚天動地　二一世紀における中国空軍の行動概念」と題した報告書は、中国軍が高性能な弾道ミサイルで、敵基地の滑走路や戦闘機の格納庫を戦闘機が飛び立つ前に不意打ちで先制攻撃する軍事ドクトリン（基本政策）を新たに取り入れていると指摘。台湾有事の際には、沖縄の米空軍嘉手納基地、海兵隊普天間飛行場、航空自衛隊那覇基地の三か所がこうした先制攻撃の対象になると警告を発する。

報告書は、中国語の堪能な米専門家が、中国国防大学の教科書や中国軍高官の講演などを読み込み、まとめた。米国防総省筋は「中国の弾道ミサイル開発の目的の一つは、在日米軍基地を攻撃することであり、我々は最悪のシナリオに備える必要がある」と語る。

日米は巨額を投じてミサイル防衛を整備しているが、ミサイル防衛で中国のミサイルを完璧に迎撃することは不可能だ。中国は日米のミサイル防衛で配備された迎撃弾を上回る数の攻撃ミサイルを一斉に発射する飽和攻撃で、米軍のミサイル防衛網を突破し、在日米軍基地などを攻撃できる。さらに、極超音速滑空兵器は、現状では一発だけでも迎撃は困難だ。

こう書くと、「ミサイル防衛は役に立たない代物ではないか」と思う読者もいるかもしれない。だが、ミサイル防衛は元々、敵のミサイル攻撃全てを防ぐことは考えていない。敵の一発目のミサイルを迎撃し、直ちに敵のミサイル基地や軍中枢を爆撃してその後のミサイル攻撃を許さないという構想だ。その対象は主に、北朝鮮やイランといった「無法者国家」に限定していた。要するに、米軍の圧倒的な打撃力を背景に、「一発でも手出しをしたらただではおかないぞ」という脅しが効くことを前提にしているのである。

従来は中国に対しても、この脅しが効いた。空母が脅しの象徴的存在だったが、前述したように現在はその脅しは使えない。しかも、米国は、一九年に失効するまでロシアとの中距離核戦力（ＩＮＦ）全廃条約に縛られ、中国のミサイル基地や軍施設を攻撃可能な地上発射型中距離ミサイルを持っていない。当然ながら専守防衛を掲げる日本も、攻撃のための中距離ミサイルを持っていない。西太平洋においては、中国と米国、日本の間に中国に有利なミサイル・ギャップが生じているのである。米国はこのため、ＩＮＦ条約離脱後、中距離のミサイルをアジアに展開する準備を進めているが、実際に配備するまでには数年はかかるとみられている。日本政府が敵国のミサイル基地などに反撃できるミサイル攻撃能力の保有を検討しているのは、こうしたミサイル・ギャップを埋め、抑止力を確保するためである。

つまり、現実として、中国軍は今や、西太平洋において米軍をも上回る戦力を保有しているのである。当然、自衛隊の兵力を含めても、短期的な戦闘で日米同盟が中国軍に勝利するのは容易ではない。

「アジアでの有事は米軍にとって『アウェーゲーム』だ。中国の台湾侵攻を想定した米軍の机上演習で、米軍は負け続けている」

日本の外務省幹部はこう打ち明ける。

米中の軍事的な状況について、米インド太平洋軍のフィリップ・デービッドソン司令官は二一年三月九日の上院軍事委員会で、「インド太平洋地域での軍事バランスは米国と同盟諸国に一層不利になっている」「通常戦力による対中抑止力が崩壊しつつある」と率直に認めた。そのうえで、「軍事的不均衡によって、中国が一方的な現状変更を目指すリスクが高まっている」と述べ、中国軍創設一〇〇年の二七年までの間、台湾有事のリスクが最も高くなると強い危機感を示した。

二一年版防衛白書も、台湾情勢の安定が日本の安全保障に重要だとの認識を初めて明記し、中国が「軍事的選択肢を発動する可能性」にも言及した。

これまでは、中国の軍事力が米国に並ぶのは三五年頃で、台湾有事の可能性が高まるのはそれ以降だとみられていた。しかし、新型コロナウイルスで米国経済が大きなダメージを受ける一方、中国経済が相対的に早い回復を見せる中、日米両政府はこの予測を大幅に前倒しせざるを得なくなっている。

開戦四日で尖閣奪取のシナリオも

開戦から四日も経たないうちに、尖閣諸島は中国軍の手に落ちる——。

米戦略予算評価センター（CSBA）のトシ・ヨシハラ主任研究員による日中海軍力に関する報告書（邦訳『中国海軍vs.海上自衛隊』ビジネス社刊）は、中国軍事誌に掲載された尖閣諸島侵攻のシナリオを紹介している。

このシナリオでは、海上保安庁巡視船が中国公船に発砲したことを機に、中国軍部隊が尖閣を占拠する。海自の護衛艦が出動するが、海自より長射程の対艦ミサイルを有する中国海軍は、海自艦に壊滅的打撃を与える。

CSBA報告書の邦訳版には、「すでに（日中の）海軍力は逆転している」という副題が付けられている。

米国は、尖閣諸島への侵攻が、対日防衛義務を定めた日米安全保障条約五条の適用対象になることを明確にしている。にもかかわらず、シナリオでは、米国は、米軍への攻撃がないことを理由に参戦しない。このシナリオは、中国側の願望を表しているだけとも言えるが、中国側が自らの軍事力に自信を深めていることも間違いない。

日米同盟は今、「地域の平和と安定の礎」としての役割を維持できるかどうかの瀬戸際にあり、その存在意義を試されている。

中国製5Gが抱えるサイバー攻撃リスク

軍民融合に話を戻そう。先端技術が軍事利用されるリスクとしては、中国通信機器大手・華為技術（ファーウェイ）や中興通訊（ZTE）が提供する中国製「5G」の問題を挙げないわけにはいかない。

5Gは、「超高速・超低遅延・同時接続」を可能にする基盤技術で、通信速度が現在主流の「4G」の最大一〇〇倍となり、多くの機器を同時に接続できるようになるといった特徴がある。自動車や医療をはじめ、電力などあらゆる分野で活用が見込まれ、利便性が増すことが期待されている。それだけではなく、軍事的にも活用が想定され、戦争の姿も大きく変える可能性が高い。防衛省幹部は、「複数の無人機が連絡を取り合いながら敵を精密攻撃する、といったビデオゲームの仮想世界が、５Ｇにより現実になる」と指摘する。

通信の遅れがないという特性を生かし、離れた場所から無人兵器を操縦して戦闘を行ったり、宇宙からミサイルを誘導して敵の移動式ミサイル発射台を攻撃したりすることが今や可能になりつつある。こうした技術で中国に先行を許せば、中国が軍事的に圧倒的に優位になりかねない。

今後、軍や社会のネットワークでは５Ｇ化が急速に進む見通しだ。中国はこの分野で大きくシェアを伸ばしている。５Ｇを含む通信基地局関連の世界シェア（占有率）は、ファーウェイが三割でトップに立ち、スウェーデンのエリクソン、フィンランドのノキアが続く。日本のＮＥＣや富士通は一％未満だ。米国もこの分野には力を入れてこなかった。

もし中国製の５Ｇに依存する場合、接続しているシステムを故意に停止させる「キルスイッチ」や、システムをハッキングして敵を混乱させたり、機密情報を盗んだりすることを可能にする「バックドア（裏口）」といった不正な機能が仕込まれる恐れがある。

そうなれば、サイバー攻撃により、軍事機能や社会生活に必要な重要インフラ（社会基盤）がまひさせられ、あっという間に甚大な被害を受けることになってしまう。

数年前、日米の安全保障関係者の必読書とされた本がある。米国防総省のプロジェクトにも参加するサイバーセキュリティーの専門家が書いた『中国軍を駆逐せよ！　ゴースト・フリート出撃す』（二見文庫）という小説だ。

米国防総省のシステムを中国軍にハッキングされ、ハイテク兵器が使えなくなった米軍は大打撃を受け、ハワイを占拠されてしまうというストーリーで、サイバーセキュリティーを担当する多くの政府当局者が、米政府のカウンターパートから「あれを読んでおけ」と勧められたという。米政府との交渉にかかわった元政府高官は、「以前の戦争は、前線で戦闘が始まり、次に補給路、次に前線基地が戦場になり、最後に敵の本土の中枢施設を爆撃機でたたくという順番だった。ところが、サイバー攻撃は、時間と空間の制約をなくし、最初から敵の中枢をたたけるようになった」と解説する。

こうしたサイバー攻撃を絡めた戦争は、小説だけの話ではなくなっている。既に現実の戦争でも使われた例がある。一四年春のロシアによるウクライナへの軍事介入だ。

防衛省関係者によると、ロシアは多種多様な陸上電子戦装備を前線に展開し、ウクライナ軍の無線通信を遮断。ウクライナ部隊が代替手段として使う携帯電話のシステムをあらかじめハッキングしておき、偽の指令でロシア側が待ち伏せしている場所に集結させると、集中砲火を浴びせて壊滅的な打撃を与えた。携帯電話の通話回数などの情報を無人機で収集し、野戦司令部の位置を割り出して爆撃することも実施したという。

ロシアは事前のサイバー攻撃で、ウクライナ軍の指揮命令の方法などの極秘情報を入手し、本物そっくりの「指令」を出すことを可能にしていたのだ。ロシア側は約一万五〇〇〇人の兵力で、約五万人のウクライナ部隊を制圧した。

二〇年二月、神奈川県横須賀市で開かれた陸上自衛隊のセミナーで、自らウクライナを訪れて「生きた教訓」を学んできた陸上幕僚監部の廣恵(ひろえ)次郎指揮通信システム・情報部長は、「まさにこれが『領域横断』の戦いではないか。電磁波とサイバーと火力戦闘が融合した戦いだ」と分析した。

中国も、サイバー攻撃を絡めた戦闘を追求している。中国軍は一五年末に「戦略支援部隊」を発足させ、宇宙、サイバー、電磁波と情報戦を一つの部隊に一本化した。二一年一月から施行された中国の改正国防法は、宇宙、電磁波、サイバーの三つの領域を、領土、領海、領空と同じ「重大安全保障領域」と明記している。

二一年三月の全人代では、李克強首相が政府活動報告で、ＡＩなど最先端の科学技術の軍事分野への応用に力を入れる考えを強調した。軍機関紙「解放軍報」は、全人代に参加した軍の代表らが、軍創設一〇〇年の二七年に向けて「智能化戦争」の準備を加速することを提案したと伝えた。

智能化戦争とは、ＡＩやビッグデータ、量子通信などを取り込んだ現代型の戦争を指す。無人兵器の多用などを想定している模様だが、具体的な計画は公表されていないため、詳細は不明だ。米軍に対し、最先端技術の取り込みを突破口に、優位に立つ狙いがあるようだ。

元陸上自衛隊東部方面総監の渡部悦和氏は、「中国は戦わずして勝とうと、平時からあらゆる手を使って挑んできている。我々が平時と思っているものは平時ではない。安全保障に対する認識を変えないと勝負にならない」と強調する。

ファーウェイやＺＴＥの５Ｇ利用は、中国にサイバー攻撃の基盤を提供する可能性があり、これまで見たような安全保障上のリスクを抱え込むことになるのだ。

宇宙戦争と「はやぶさ2」

軍事利用が懸念される最先端技術として、もう一つ忘れてはならないのが宇宙技術である。

中国は近年、宇宙技術で次々と成果を上げている。中国国家宇宙局は二〇年一二月、中国の無人探査機「嫦娥(じょうが)5号」が月面の土壌サンプルを採取し、帰還したと発表した。中国が天体サンプルの回収に成功するのは、これが初めてだった。月のサンプルを持ち帰るのは米国と旧ソ連に続く三か国目で、四四年ぶりという。

月面では、表側の「嵐の大洋」と呼ばれる地域の火山地帯でロボットアームとドリルを使用し、地表や地中のサンプルを計約二キロ採取した。

中国はさらに、火星に向けて探査機「天問1号」を二〇年七月に打ち上げており、二一年五月、火星への着陸に成功したことが発表された。地球周回軌道上の独自の宇宙ステーションも、二二年に完成させる計画だ。

習近平政権は、三〇年までに宇宙開発で世界のトップレベルに立つことを目指す「宇宙強国」路線を進めている。こうした宇宙開発には、国威発揚とともに、安全保障上の狙いもあるとみられる。宇宙技術は軍事技術と表裏一体で、最重要の戦闘領域になっていることが背景にある。

実際、〇七年一月には、老朽化した人工衛星を地上から発射したミサイルで破壊した。

その後も、破壊を伴わない対衛星ミサイル実験を繰り返している。戦時に米軍の人工衛星を破壊し、通信を使えなくするための訓練だとみられている。衛星破壊は人間に例えれば、敵の目を見えなくし、耳を聞こえなくするのと同じ効果がある。

中国は、レーザーによる衛星破壊実験も行っているとみられている。米国の衛星に地上からレーザーを照射した可能性が指摘されている。先に紹介した小説『中国軍を駆逐せよ！　ゴースト・フリート出撃す』では、中国軍が独自の宇宙ステーションからレーザーを発射し、米軍の全ての衛星を破壊する。

ちなみに宇宙技術に関しては、日本も負けてはいない。日本の探査機「はやぶさ2」は、地球から三億キロ前後離れた小惑星リュウグウから砂粒や石など多くの試料を持ち帰った。はやぶさ2は、リュウグウから風化していない地下の石や砂を採取する際、高度二〇〇メートル付近から重さ二キロの銅の塊をリュウグウの地表に撃ち込んでクレーターを作った。

安全保障の専門家はこの能力について、「外国の衛星や宇宙ステーションなどを攻撃する兵器にもなり得る」と指摘する。ただ、宇宙での戦闘能力を高めようとしている中国と違い、日本政府は、こうした能力を敵の衛星破壊に活用することには及び腰だ。

技術窃取への甘すぎる認識

ここまでお読みいただいた読者には、デュアルユースの先端技術を軍事能力の増強に活用しようと国を挙げて取り組んでいる中国の千人計画が、単なる科学技術政策としての研究者招致事業でないことがおわかりいただけたものと思う。中国は、千人計画を通じた機微技術の獲得、厳しい言葉を使えば「技術窃取」を狙っていると懸念する声が強い。

元国家安全保障局次長の兼原信克・同志社大特別客員教授は二一年四月七日付読売新聞朝刊に掲載されたインタビューで、千人計画をめぐるリスクを次のように説明している。

日本には軍事転用されかねない技術がたくさんあるが、共同研究などを通じ、海外にどんどん流出してしまっている。

特に中国は、政府と学界、軍が一体となって千人計画などを通じて先端技術の吸収と軍事利用を行っており、米欧諸国の警戒感は極めて強い。米エネルギー省は「研究者が中国に行くのは自由だが、省のお金は二度と使えなくなる」という厳格な対策を取っている。日本でも研究費の情報開示を徹底すれば、不透明な外国機関との関係は控えようとする抑止力が働く。

中国は「建軍一〇〇年」に当たる二〇二七年を目指し、富国強兵に邁進している。中国の経済力は二八～三〇年に米国を抜くとされ、世界の覇権争いを巡る米中対立は当面激化するばかりだろう。日本はアジアでその最前線に立っているのに、あまりにも危機意識が低い。

現在の技術の多くは、民生と軍事の双方で活用できる「デュアルユース」が主流で、その境界線は曖昧だ。

例えば、日本では脳梗塞などの患者の脳波を拾い、不自由な手足を動かせるようにする医療技術の研究が進んでいる。この技術は、ドローンを脳波で飛ばす軍事計画に活用が可能だ。宇宙のかなたで着地地点を正確にコントロールする小惑星探査機「はやぶさ2」の関連技術は、大陸間弾道ミサイルの開発にも応用できる。技術は自前で開発するより盗む方が経済的で時間もかからない。中国を始め、各国は日本の研究者が苦労して育ててきた最先端技術を虎視眈々と狙っている。

日本の科学技術予算は四兆円規模に上るが、かねて「防衛・防疫・防災」の三防に生かされていない問題も指摘されてきた。学界が科学技術の防衛活用をいまだにタブー視していることや、新型コロナウイルスのワクチン開発で世界から後れを取っていることをもっと深刻にとらえるべきだ。

「軍事アレルギー」の抜けない日本学術会議

中国の軍民融合戦略に比べて、日本の科学技術力と防衛力整備の間には、深く、大きな溝がある。

日本は第二次世界大戦中に企業や研究者が戦争に関与した反省から、安全保障分野での研究や開発をタブー視する空気が極めて強い。

学術界では、国内科学者の代表機関・日本学術会議が反軍事の先頭に立つ。

「近年、再び学術と軍事が接近しつつある」

学術会議は一七年三月、防衛装備庁が一五年度に始めた「安全保障技術研究推進制度」に反対し、各大学に審査を行うなどの対応を求める声明をまとめた。事実上、同制度への参加を自粛するよう求めたものだった。

この中で、「戦争を目的とする科学の研究には、今後絶対に従わない」とする一九五〇年の声明と、「軍事目的のための科学研究を行わない」とした六七年の声明を「継承する」と強調した。一七年の声明は、「日本学術会議安全保障と学術に関する検討委員会」（委員長＝杉田敦・法政大教授）による審議を踏まえ、学術会議の幹事会で決定したものだ。この検討委員会をめぐっては、メンバーに防衛装備品の技術開発とはほど遠い、憲法や哲学などの学者が多く、安全保障上の影響に関する真剣な議論はなかったとの指摘がある。

防衛装備庁の制度は、将来的に防衛分野での活用を期待できる基礎研究を支援するもので、一件あたり二〇億円を上限に助成している。同庁は「研究に介入することはなく、公表を制限することもない」と明確にしている。にもかかわらず、学術会議は声明で、「政府による研究への介入が著しく、問題が多い」と事実と異なる主張をしている。

この結果、一五年度に五八件あった大学や高等専門学校などからの応募は、学術会議が問題視し始めた翌一六年度は二三件と半減。一九年度は九件にとどまった。一六年度から助成を受けていた北海道大は一八年、学術会議の声明を尊重するとして辞退を申し出た。京都大や名古屋大も軍事研究は行わないとする基本方針を決定し、研究者に自制を促す。

金属素材を研究する六〇代の国立大教授は二〇年、防衛省が資金を提供する研究推進制度への応募を断念した。大学幹部から、応募を認めないと圧力をかけられたためだ。この教授は「我々の研究は『悪』ということか。これではあらゆる基礎研究ができなくなる」と打ち明ける。

声明が大きな力を持つのは、学術会議が約四兆円に上る政府の研究開発予算の配分に影響力を持っているのも一因だ。

学術会議は内閣府所管の特別機関で、政府に対する政策提言などの役割を期待されている。研究開発予算は文部科学省が配分を決めるが、学術会議は三年ごとに「マスタープラン」を策定して推進すべき重点大型研究計画を政府に推薦している。

ある国立大教授は、「学術会議ににらまれるとプロジェクトや将来のポスト獲得で不利益を被る可能性がある。学術会議が声明を出せば、大学や学会は萎縮したり忖度したりしてしまう」と打ち明ける。

以前は国が主導した軍事研究の先進技術が民間に波及する「スピンオフ」が一般的だった。ところが今や、ＡＩや情報通信技術に代表されるように、民間が開発した技術を軍事に取り込む「スピンオン」へと変化している。防衛省幹部は、「民間技術を活用できないままでは、日本独自の防衛力整備が立ち遅れてしまう」と嘆く。

学術会議の「軍事アレルギー」でデュアルユース技術の安保研究が阻害された別の例を紹介したい。

一五年一二月、島尻安伊子・沖縄・北方相が米ワシントンを訪れた際、米軍の医療関係者から、沖縄県の米軍施設跡地に新薬の研究開発拠点などの医療施設を作り、日米で医療データの共有を進める計画を呼びかけられたという。

アジアではこれまで、SARSなど感染症の流行が繰り返されている。米軍にはアジア系人種の医療データが比較的少なく、日本と医療データを共有したい意向が米国防総省にはあった。

しかし、日本の国内事情で、計画は進展しなかった。ここでも、学術会議が軍事目的の科学研究を否定していることが影響したという。戦時中に旧日本軍の七三一部隊が細菌戦や人体実験を行った過去をいまだに引きずる医学界が、米軍や防衛省との連携には基本的に後ろ向きだという事情もあった。

政府関係者は、「バイオテロに備えた防衛医大の医療研究すら許さないという雰囲気がある」と首をかしげる。

会員「任命拒否」の一因？

菅義偉首相は二〇年九月、日本学術会議が推薦した新会員候補のうち六人を任命しなかった。任命を拒否された六人は、安全保障関連法や特定秘密保護法、改正組織犯罪処罰法への反対をそれぞれ表明したことがあり、学術界や野党は、政治的な任命拒否は「学問の自由」を侵害するもので許されないと反発した。

この問題は本書のテーマから離れるので詳しくは触れないが、学術会議の一七年の声明に象徴されるように、科学に基づかず、政治的な立場からの活動が目立つという政府側の不満が問題の背景にあるのではないかという指摘がある。

自民党の伊吹文明・元衆院議長は二〇年一一月五日の二階派会合で、その辺の事情を代弁している。

伊吹氏は、学術会議の会員は「特別職の国家公務員だ」とし、「一方的に政治的な問題に声明を出すとか、学術会議の肩書を持って政治的な発言をすることは自粛しないといけない」と語った。「『学問の自由』と言えば、みんな水戸黄門さんの印籠の下にひれ伏さないといけないのか」とも述べ、学術会議が防衛装備庁の研究推進制度の利用に反対する声明を出していることについて「一部の者が独断すべきことではない」と批判した。

また、「菅首相の心の中を忖度すれば、できるだけ多様な人材を集めることによって、一方的な意見を公表するのは少し自重してもらいたいという気持ちがあったのではないか」と語った。

過度な「軍事アレルギー」を見直す動きも起きつつある。

「軍事研究は人道に反するため行わない」とする基本方針を策定していた筑波大で一九年度、素材に関する研究が防衛装備庁の研究推進制度に採択された。先端素材「カーボンナノチューブ（炭素材料）」を使い、衝撃に強い次世代素材を創出する内容だ。

国立大学協会長も兼ねる永田恭介・筑波大学長は二〇年三月二六日の記者会見で、同制度への応募を認めた理由について、コロナなどのウイルスに対するワクチン研究が生物化学兵器に転用される可能性を例に「デュアルユースは（線引きが）難しい」とし、「自衛のためにする研究は、省庁がどこであれ正しいと思う」と訴えた。

研究者の間からも、学術会議の声明への批判が出ている。東大の戸谷友則教授（天文学）は一八年一二月に発表した「学術会議声明批判」と題した論文で、「『いかなる軍事研究もしてはいけない』という考えをすべての人に要求するのはあまりにも一面的」とし、「戦争の惨禍が軍事によって生み出されるのは自明ですが、一方で、パクスロマーナの例を持ち出すまでもなく平和を生み出し維持するうえでも軍事というものが大きな存在となっていることは、古今東西の人類史を見ても明らかです」と指摘した。

学術会議の一七年の声明をめぐっては、作成にあたった当時の検討委員会のメンバーも、「結論ありき」で真剣な議論が行われないまま声明が発出されたと批判している。メンバーの一人で、小松利光・九州大名誉教授が二一年一月一六日付読売新聞でインタビューに答えている。少し長くなるが全文を引用したい。

私は防災が専門ですので、災害が起きるとすぐに現場に駆けつけます。これまで多くの被災地を見てきましたが、被災現場は戦禍を想起させます。

自然災害に対して備えが必要なように、周辺国が軍備を増強させれば、自衛力の強化も必要となります。世界では、まだ力を背景とした外交がまかり通っているからです。

ところが、日本学術会議は二〇一七年三月の「軍事的安全保障研究に関する声明」で、改めて「戦争を目的とする科学の研究は絶対に行わない」ことを掲げました。

学術会議は戦前の軍国主義の幻影を引きずり、過剰に反応しているように感じます。当時と今では政治体制が全く異なる上に、憲法九条もあります。報道各社の世論調査をみれば、国民の多くは自衛隊を認めています。自衛隊を必要と認めるなら、相応の自衛力も保証すべきです。

防衛装備品を海外からの高い輸入品に頼れば、税金の無駄遣いになりますし、その性格からも自国生産に努めるべきです。企業や国の研究者等を含む学術界が研究と自国生産にそっぽをむいていたら、国民に背を向けているのと同じです。

私は、学術会議の検討委員会の一員として声明の作成に携わりました。検討委員会では「戦争を目的とする科学の研究」が一体何を意味するのか、「自衛のための研究」も含むのかどうかなどがほとんど議論されませんでした。

私は再三、議論すべきだと提案しましたが、聞き入れられませんでした。検討委員会は恣意的に運営され、「最初から結論ありきだった」と批判されても仕方がないでしょう。

議論の中で、私が「自衛隊はいらないということですか」と質問すると、ある学者は

「いらない。すべて話し合いで解決する」と答えました。北朝鮮による日本人拉致問題を見ても、日本がいくら誠意をもって話しても通用しない場合があることは明らかです。

声明には強制力はないとの指摘もありますが、学術会議の権威は大学に対して大きな影響力を持ちます。実際に、声明を受け、装備品の開発につながる可能性のある基礎研究の応募をやめた大学が数多くあります。

専守防衛の範囲内で安全保障研究に関与するかどうかは、研究者個々人の良識と判断に委ねるのが適切です。学術会議は、安全保障研究への参画を組織的に阻害すべきではありません。組織的な阻害は「学問の自由」の侵害ともいえます。

また近年、民生技術と軍事技術は区別がつかなくなっています。衛星技術は軍事的にも有用ですが、防災分野でも不可欠となっています。学術界がこうしたデュアルユース（両用）技術をしっかり定義した上で、活用を積極的に推進すべきです。それができなければ、日本は科学技術力で世界にさらに後れを取るでしょう。

新会員の選考を巡り、学術会議側が推薦した候補者のうち六人を菅首相が任命しなかったことについて、学問の自由の侵害だという人がいますが、私はそうは思いません。

学術会議の問題の本質は、全国約八五万人とされる科学者を代表した組織になっていないことです。大学研究者が大部分を占め、民間や企業の研究者、政府系の研究者の意見が反映されにくく、分野にも偏りがあり、一部の大学研究者たちの独り善がりの意見となりがちです。この偏りを是正し、日本の学術界の縮図となるように会員二一〇人を選ぶ方式にすべきです。

政治は国民のためにあるものです。科学もまた、国民のためにあります。科学と政治には一定の距離感と緊張関係は必要ですが、必ずしも対立する必要はありません。学術会議は、ただ、きれいごとを言っているだけでは他の多くの研究者や国民の支持は得られません。結果に対してもきちんと責任を持つべきです。

極めて常識的な意見ではないだろうか。

千人計画に参加する元会員たち

防衛省の安全保障研究への参加に反対するなど国内では「軍事アレルギー」の強い日本学術会議だが、その会員らが中国で千人計画に参加し、軍事転用の懸念もあるデュアルユース技術を研究していることについては、問題意識が低いようだ。

読売新聞が二一年一月、千人計画への参加を確認した日本人研究者四四人のうち、一〇人は学術会議の関係者だった。学術会議の名簿などから、現役会員一人、元会員または元連携会員が八人、元特任連携会員一人が確認された。

会員は、学術会議の推薦に基づいて首相が任命する特別職の国家公務員（非常勤）だ。二一〇人が任期六年で選ばれ、三年ごとに半数が交代する。連携会員は、会長が任命し、約二〇〇〇人が会員と協力して学術会議の職務を担う。こちらは一般職の国家公務員（非常勤）である。

千人計画に参加した学術会議関係者の中には、中国軍の兵器開発とつながりが深い北京理工大でロボット研究に携わっている人も複数確認できた。うち一人は、日本の科研費から四億円以上の助成を受けていた。

学術会議事務局は、会員らによる中国での研究活動について、「個別には把握していない」と話している。

だが、中国の千人計画に対しては、軍事転用可能な機微技術を流出させる懸念が指摘されている。欧米では技術窃取などのリスクがあり、「研究インテグリティを損なう」と警鐘が鳴らされている。学術会議が戦後、「戦争を目的とする科学の研究は絶対に行わない」との声明を発表したのは、東条英機内閣が戦時中の一九四三年、「研究機関に於ける科学研究は大東亜戦争の遂行を唯一絶対の目標として強力に之を推進する」と閣議決定し、多くの科学者が動員されたことを反省したからだ。今の中国は当時の日本のように、科学技術を中国軍の強化にフルに活用しようとしているのは明らかだ。

技術流出防止などの問題に取り組んでいる自民党のルール形成戦略議員連盟の甘利明会長は二〇年五月四日付読売新聞朝刊で、「学術会議は軍事研究につながるものは一切させないとしながら、民間技術を軍事技術に転用していく政策を明確に打ち出している中国と一緒に研究するのは学問の自由だと主張し、政府は干渉するなと言っている。日本の技術が中国の軍事技術に使われようとしても防ぐ手立てがないのが現状だ」と語る。

米国では第一章で見たように、学術団体が研究のあり方について、潜在的な利益相反を含めた完全な情報開示の必要性などを提言している。学術会議も本来、政府と連携して技術流出のリスクを排除し、研究インテグリティの確保に努めるべきではないだろうか。

第三章　「アプリ」「マスク」中国依存のリスク

経済活動が安全保障に影響を与えるリスクは、軍事転用可能な新興・重要技術の流出に限ったことではない。個々人の生活や企業の活動にも、中国依存のリスクは潜んでいる。

中国企業に業務委託していたＬＩＮＥ

二〇二一年三月、日本国内で約八六〇〇万人が利用する無料通信アプリＬＩＮＥ利用者の個人情報が、業務委託先の中国企業から閲覧できる状態だったことが明らかになった。また、画像や動画については、データを韓国で保存していたという。

運営会社ＬＩＮＥ（東京）の発表によると、システム開発などを委託していたＬＩＮＥ Ｃｈｉｎａ社（上海）の大連の拠点で一八年八月から、スタッフ四人が、日本のサーバーに接続して利用者の氏名や電話番号、メールアドレスに加え、不適切として通報されたものなど一部のメッセージの内容を閲覧できる状態だった。業務に必要だとして接続権限を与えたという。日本国内のサーバーに計三二回接続していたが、不適切なアクセスはなかったと説明した。

ＬＩＮＥは、中国の委託先関連会社から日本のサーバーに接続できないように遮断し、韓国に保存していたデータは順次、国内に移管すると表明した。

この問題は、個人情報が外国から閲覧可能だった点で、多くの利用者にショックを与えた。それだけでなく、政府や地方自治体など多くの機関がＬＩＮＥを業務に利用しており、経済や社会生活に欠かせない重要なインフラを中国に依存するリスクを浮き彫りにした。

政府の調査によると、二三の政府機関のうち一八機関が業務にＬＩＮＥを利用。二二一業務のうち約二割の四四業務では、機密性を有する情報のやり取りを行っていた。地方公共団体では、一七八八団体のうち一一五八団体でＬＩＮＥを利用。三一九三業務のうち、二割を超える七一九業務が住民の個人情報を扱っていた。

業務の周知、広報、相談、オンライン申請などが代表的な利用例だった。新型コロナウイルスのワクチン接種の予約や感染拡大地域からの入国者とのビデオ通話による連絡に利用しているケースもあった。また、これとは別に、ＬＩＮＥの個人アカウントで業務に関連する情報を同僚などとやり取りしているケースも少なくなかった。

中国企業が日本国内のデータへアクセスできることによるリスクは、ＬＩＮＥの当初の説明よりはるかに大きいものだった。

親会社であるＺホールディングスが設けた外部有識者の第三者委員会が六月一一日に公表した調査の中間報告によると、当初明らかになったＬＩＮＥ Ｃｈｉｎａ社による三二回の接続は二〇年三月から二一年三月までの一年間限りで、同社への委託が始まった一六年以降、二〇年三月までの間は記録がなく、把握できないとした。三二回の接続についても、「具体的にどのような操作をしたのかについての記録（ログ）を取得・保存しておらず、必要な範囲でアクセスが行われたものであるかについては明らかにできなかった」という。また、同社の端末は外部のネットワークに接続可能な状況だった。

さらにＬＩＮＥ Ｃｈｉｎａ社とは別の中国企業にも、「公開されているコンテンツについて、不適切なコンテンツを発見、削除等する業務」が委託され、一日平均で約九万九〇〇〇件のデータにアクセスがあったという。

では、ＬＩＮＥ Ｃｈｉｎａ社側は、日本のユーザーのどんな情報にアクセスすることが可能だったのだろうか。LINEによると、次の機能に関する開発及び保守が委託され、関連する情報へのアクセスが可能だった。

①LINEの捜査機関対応業務従事者用CMS（コンテンツ管理システム）の開発（名前・電話番号・メールアドレス・LINE ID・トークテキスト）
②LINEのモニタリング業務従事者用CMSの開発（通報によりモニタリング対象となったトークのテキスト・画像・動画・ファイル、および、通報または公開によりモニタリング対象となったLINE公式アカウントとタイムラインの投稿）
③問い合わせフォームの開発（名前・電話番号・メールアドレス）
④アバター機能、LINEアプリ内のOCR（光学的文字認識）機能の開発（同機能の利用において明示的に当社のデータ活用についてご同意いただいた顔写真）
⑤Keep機能の開発（ユーザーが同機能を利用して保存したテキスト・画像・動画・ファイル）

①は、捜査令状などに基づく要請を受けた場合に個人情報を開示する際のシステムで、

LINE China社は過去一年間に一一回、この権限で日本国内のデータにアクセスしていたという。②は、問題があるとして通報された投稿や、公開を前提とした投稿の内容を監視する機能だ。

④のアバターとは、自分のアカウントに表示する分身キャラクターのことで、写真やアニメなどの画像から作成できる。例えば、自分の顔写真を使って自分専用のオリジナルキャラクターを作ることもできる。OCRとは、文字や画像を電子データに転換するものだ。顔認証による本人確認などにも用いられる。⑤のKeepは、友人などとやり取りしたテキストや画像・動画、資料などを保存する機能である。

LINE側は不適切な情報流出は確認できなかったとしているが、これだけの情報が、中国側に流出するリスクにさらされていたのである。

第一章でも見たように、中国の企業や中国人職員は、国家情報法により、公安当局などの要請に従わなければならない。当局への協力を公にすることは禁じられている。同法はよく知られているが、日本の公安筋はさらに、「中国企業や中国人職員はより積極的に当局に協力すると考えた方がいい」と明かす。根拠として指摘するのが、中国共産党規約三二条だ。同条は、企業内党組織の設置義務について定めている。「企業が法律を順守することを監督・指導」するとされており、同筋は「情報収集などで当局に貢献するための組織だ」と解説する。

同筋は、この規定に基づいて情報が流出した可能性のある具体的な事例として、積水化学工業の元研究員がスマートフォン技術に関する自社の機密情報を中国企業に漏洩した事件を挙げる。元研究員は、広東省に本社を置く通信機器部品メーカー「潮州三環グループ」から連絡を受け、技術情報の交換を持ちかけられたという。元研究員は中国側からも技術情報が得られると期待して、一八年八月～一九年一月、積水化学工業が持つスマホのタッチパネルに使われる「導電性微粒子」の技術情報を潮州三環グループ側にメールで送信し、不正競争防止法違反（営業秘密の領得、開示）で二一年三月に在宅起訴された。同筋は、習近平国家主席が二〇年、潮州三環グループの本社を訪問していると指摘し、「積水化学工業の事案が関連しているとみている」と話す。

中国の国家情報法、共産党規約の規定を見れば、中国企業に業務を委託した場合、日本側の個人情報や技術情報が中国当局に渡るリスクは排除できないと言ってもいいだろう。

中国製アプリの「バックドア」

ＬＩＮＥは中国企業にシステム開発を委託していた。専門家は、中国の企業がシステム開発を担っていた場合、スマートフォンをのっとられるなどのサイバー攻撃を可能にする「バックドア」のリスクが排除できないと指摘する。

第四章で詳述するように、米国が5Gネットワークからファーウェイを排除し、日本や欧州にも同様の措置を呼びかけたのは、バックドアを通じたサイバー攻撃を懸念したためだ。

通信アプリをめぐっては、トランプ大統領が二〇年八月、ＬＩＮＥと同様の機能を持つ中国系のＳＮＳ「微信（ウィーチャット）」と動画共有アプリ「ＴｉｋＴｏｋ」を排除する大統領令に署名した。米企業に対し、ウィーチャットを運営する中国のＩＴ大手テンセント、ＴｉｋＴｏｋを運営するバイトダンスと取引することを原則禁止した。

この大統領令はその後、米連邦地裁から差し止めを命じられ、バイデン政権が二一年六月に撤回した。ただ、バイデン政権も中国企業に召喚状を出して情報収集を開始しており、個別のアプリ禁止に代わり、中国へのデータ流出を防ぐ統一的な基準作りを進める方針だ。

トランプ氏の大統領令は、中国発アプリについて、米政府職員が居場所を追跡されたり、個人情報の悪用によって脅迫されたりする恐れがあるとし、「米国の安全保障や経済を脅かしている」と強調した。関連する政府文書では、プライバシー侵害に加え、ウイルス拡散、コンテンツの監視などのリスクを指摘している。

スマートフォンが盗聴器として利用されかねないリスクもある。取材班の一人は、来日した米軍高官を都内のホテルでインタビューした際、スマートフォンのアプリを通じ、インタビュー内容が中国に盗聴されていることを認識している場面に出くわしたことがある。同席した広報担当者がスマートフォンを机の上に置き、英語機械文字起こしアプリを使っていたところ、その高官は、自分が話した言葉がすぐに文章となって表示されていることに関心を示した。その時、広報担当者が、「このアプリで録音した会話は、中国に聞かれているかもしれません」と説明したのだ。すると高官はスマホに向け、「ハロー、北京」と話しかけ、苦笑していた。

オープンな場での取材のため、スマートフォンが利用されていたが、在日米大使館内の特定の建物での取材では、入り口でスマートフォンを預けるように要請される。盗聴や盗撮を警戒しているためだ。日本政府でも、外務省や防衛省の一部の幹部の部屋に入る時にはスマートフォンの持ち込みが禁じられるようになった。

アプリなどを通じた位置情報の取得も、安全保障上の懸念になっている。この問題について政府から説明を受けている自民党議員によると、若者に人気のスマホゲームを通じ、中国に位置情報が抜き取られているという。居場所の確認、追跡などに利用されかねないほか、高度を含めた位置情報を大量に集め、日本の地形を電子データで再現できるようにする狙いが中国にあると、この議員は指摘する。

電子的な地形データは、軍事活動に活用することが可能だ。元米政府高官によると、一九九一年の湾岸戦争の際、米軍はイラクの電子的な地形データを持っていなかった。米政府は、イラクに進出していたある日本企業がこのデータを持っていることを知り、日本政府を通じて提供を受けたという。元高官は「米軍はこのデータを精密誘導爆撃に利用した」と証言する。ただ、日本企業側の要請で、この協力は秘密にされた。

中国側も、位置情報の重要性を認識しているのは間違いない。米紙ウォール・ストリート・ジャーナルは二一年三月一九日、中国政府が、米電気自動車大手テスラの電気自動車から位置情報などが米国に漏れる恐れがあるとして、軍や機密情報を扱う産業に属する国有企業、主要な政府機関の関係者にテスラ車の利用を制限していると伝えた。

中国政府は、自身が位置情報をはじめとした個人情報を軍事的に利用しており、敵も同じだと考えているのだろう。

ＬＩＮＥについても、中国の関連企業が開発したシステムを通じてバックドアを仕込まれた可能性がなかったのか、引き続き検証が必要だろう。

海底ケーブルで情報抜き取りも

「５Ｇの次は海底ケーブルだ」

二〇年三月上旬、ある日本人研究者は、ワシントンで開かれた会合で、米政府関係者からこう声をかけられた。

世界を行き交う通信やデータの九九％が海底ケーブルを通っている中、光ケーブルに細工をし、データを抜き取られることが安全保障上の懸念となっているためだ。ケーブルを切断し、軍の活動を妨害することも可能だ。

海底ケーブル市場のシェアは日本、米国、フランスの三社で九割を占めるが、中国勢は低価格戦略で猛追している。一八年に南米とアフリカを結ぶ長距離海底ケーブルを完成させたほか、アフリカ沿岸でも相当数のケーブルをファーウェイの子会社が敷設した。

海底ケーブルをめぐる問題に詳しい土屋大洋（もとひろ）・慶應大総合政策学部長は、「陸路と海路に続く第三の『一帯一路』を目指している」と中国の狙いを分析する。

このため米国は、5G同様、海底ケーブル・ネットワークからも中国排除を目指している。トランプ政権は一九年、米西海岸と香港を結ぶ海底ケーブル事業を停止に追い込んだ。司法省や国務省などが安全保障上の理由から反対したという。

日本の対応は遅れている。総務省所管の官民ファンド「海外通信・放送・郵便事業支援機構」は一七年一月、NECなどが参画してグアムと香港を結ぶ海底ケーブル計画に最大五〇五〇万ドル（約五四億円）を出資すると発表した。米国は、グアムを中心にオーストラリアや日本、東南アジアを海底ケーブルで結び、中国と直接交わらないネットワークの構築を図っている。ケーブルが陸地に上がる「陸揚げ局」で情報が抜き取られることが多いためだ。

グアムと香港を結ぶルートに対し、米国から水面下で懸念が伝えられたが、総務省が押し切ったとされる。経緯を知る政府関係者は「総務省はネットワークを結ぶことは何であれいいことだと考えているが、米政府は今も不満に思っている。安全保障面のリスクを考慮する意識が政府内で共有されていない」と語る。

陸揚げ局についても、日本は無防備だ。米国は軍の基地内に置いている。英国は地下に埋設し、オーストラリアは場所を公開していない。これに対し、日本では、千葉県南房総市の千倉、三重県志摩市の民有地の二か所に集中していることが知られており、危険性が指摘されている。

情報通信の安全保障は、米軍の圧倒的な軍事力の下支えがある伝統的な安全保障と異なり、一つの弱点から壊滅的な打撃を受けかねない怖さがある。経済官庁や民間企業なども含め、日本全体の意識改革が急務だ。

中国人留学生は「知的財産の収集人」

法務省の出入国管理統計によると、日本への留学生新規入国者数は、一五年の九万九五五六人から一九年には一二万一六三七人に増えた。このうち中国人は、一五年の三万二八三〇人から四万七六六六人に伸び、実数、割合とも増えており、彼らなしでは経営が立ちゆかなくなる大学が少なくないのが実態だ。

ただ、中国人留学生には「学術スパイ」のリスクが避けられず、米国では対応を強化している。

一九年一〇月に公表されたＦＢＩの報告書「中国：アカデミアへのリスク」は、中国当局が、米国に渡った中国人留学生を「知的財産の収集人」として活用し、「技術情報窃取のための標的を物色させている」と指摘する。

Ｓｃｉｅｎｃｅ（科学）、Ｔｅｃｈｎｏｌｏｇｙ（技術）、Ｅｎｇｉｎｅｅｒｉｎｇ（工学）、Ｍａｔｈｅｍａｔｉｃｓ（数学）の頭文字から取った「ＳＴＥＭ」と呼ばれる理系分野の大学院生、博士課程修了者、大学教授らが対象になっており、米国の研究機関から経済・科学・技術情報を収集する役割を期待されているという。報告書は、中国が留学生らに「いかなる手段を使ってでも最先端技術の獲得のノルマを達成させようとしている」とし、「中国の戦略的意図を認識しておく必要」があると注意を呼びかけている。

日本の研究開発戦略センターの報告書は、米大学などに所属する中国系研究者が「学術スパイ」で起訴された事例を紹介している。

イリノイ工科大の大学院生は、中国政府の諜報機関に雇われ、情報収集などの工作にあたっていたとして「外国政府諜報員罪」で一八年九月に起訴された。カリフォルニア大ロサンゼルス校（ＵＣＬＡ）の非常勤教授は、軍事転用が可能なマイクロチップを入手して中国に密輸していた。

テキサス大教授は、学術研究の名目でシリコンバレーのハイテク会社と契約を結び、入手した技術をファーウェイに提供していた。ハーバード大客員研究員は、大学病院から盗み出した生体サンプルを持って出国しようとし、空港で摘発された。

不当な手段による知財侵害の損害額について、FBIは「年間二二五〇億〜六〇〇〇億ドル」（約二四兆七五〇〇億〜約六六兆円）と推計している。

中国では外国に一時的に出て行く留学生を「海亀」と呼ぶことは前述したが、成長して中国に戻ってくるという意味が込められている。留学生らは当初は技術窃取の意図を持っていなくても、中国では国家情報法により国の情報活動への協力が義務づけられており、中国当局に要請されれば拒否できないとの見方が強い。

この問題に詳しい日本政府の元高官は、「中国人留学生は、帰国時には中国大使館の許可が必要だ。その過程で情報を吸い上げられている」と話す。

民間の留学生を活用するだけではない。中国は、中国軍などに所属する科学者を留学生として送り込み、機微な技術を獲得させる手法も用いている。軍とのつながりを隠して留学するケースもあるという。

一九年一一月に豪戦略政策研究所が出した報告書によると、一七年までの一〇年間で、中国軍に所属する二五〇〇人以上の科学者が日本を含む海外に派遣された可能性があるという。

北京航空航天大、北京理工大、ハルビン工業大――。

報告書は、中国の少なくとも六〇の大学が軍事や防衛と密接なつながりがあると分析し、次のように指摘する。

「中国の大学との連携が、中国軍や治安当局によって利用されるリスクが高まっている。多額の公的資金を受け取っている各国の大学は、人権や安全保障を害することを回避する義務を負っている」

こうした留学生による「学術スパイ」を防ごうと、トランプ政権は一八年六月、中国人留学生らの査証（ビザ）発給を厳格化した。情報機関が留学生の経歴や個人情報を調べ上げ、発給を拒否するケースが増えている。中国人向けの発給はこの結果、四五％減少したという。

それでも、経歴を偽って留学したり、留学を試みたりするケースが相次いでいる。ボストン大学の元留学生は、中国軍に所属する身分を隠して留学し、情報収集などの工作活動に従事したとして二〇年一月に起訴された。スタンフォード大の客員研究員も、中国軍所属の身分を隠して学術交流訪問のビザを申請した。

米政府は二〇年七月二二日、在ヒューストン中国総領事館の閉鎖を命じた。ポンペオ国務長官は二三日に行った演説で、「中国の学生や会社員は、ただの学生や会社員ではない。その多くが知的財産を盗み、国に持ち帰るために来ている。ヒューストンの中国総領事館閉鎖を命じたのは、知的財産窃取とスパイの拠点だからだ」と断じた。同総領事館内では二四日午後が退去期限とされる中、文書を焼却する様子が確認された。

中国人留学生がもたらすリスクは、当然ながら日本も例外ではない。

「研究者Yが希望する研究テーマが輸出管理担当部署で把握している機微研究分野に合致した」

「X教員による外国人研究者Yの受け入れについて、輸出管理上の手続きは行っていたが、審査が未完了のまま、教授会で受け入れ決定が行われた。その後、研究テーマが機微な技術分野に該当し得ること及び研究者Yの経歴に（大量破壊兵器に関連している恐れがある）外国ユーザーリスト掲載機関での研究実績があることが判明した」

いずれも、日本の大学の現場で実際に起きた事例だ。ヒヤリとしたり、ハッとしたりしたケースを列挙した経済産業省の「ヒヤリハット事例集」に掲載されている。豪戦略政策研究所は、山陰地方と北関東の三つの大学が、中国共産党のスパイ活動を支援しているとされる「国際関係学院」から中国人留学生を受け入れたと指摘している。

東北大では〇九年にイラン人留学生が使用済み核燃料の再処理に関する研究をしていた問題が発覚し、これを契機に一〇年三月、学内に輸出管理の一元的な対応を行う「安全保障輸出管理委員会」を設けた。教員が運営にあたる中、事務職員三人が常駐し、技術流出に目を光らせている。

委員長を長く務めた佐々木孝彦・東北大金属材料研究所副所長は、「個々の教員の判断に任せるのではなく、共同研究や実験データの持ち出しを組織として漏れなくチェックできるようになった」と意義を語る。

しかし、こうした先進的な取り組みを行う大学ばかりではない。文部科学省によると、一九年二月時点で留学生の受け入れなどを管理する担当部署を設けている大学は、国立では九四％に上る一方、公立・私立では四五％にとどまっていた。二〇年には公立・私立も五五％と改善傾向が見られるが、依然として全体では六七％でしかない。

この問題に詳しい国立大教授によると、管理担当部署があっても、受け入れ担当の教授が「この留学生にはそんな意図はない」と主張した場合、「あなたが責任を持ってくださいね」と言って留学を認めてしまうケースが少なくないという。

大学が調査をしている場合でも、虚偽の申請をチェックするのは困難だとの声が出ている。それに加えて日本政府には、米国のように中国人留学生一人一人のバックグラウンドを審査する能力はない。米側の調査も日本と情報共有されていない。

軍事研究に関与した事例

中国人留学生をめぐっては、日本で科研費を受領して研究をした後、中国の国防七校に戻り、軍事研究に関与している可能性があるケースも、日本政府は三例を確認している。

一人目は、一二年~一五年にかけて九州の大学に留学し、ハルビン工程大船舶工程学院に戻った中国人研究者だ。日本滞在中、浮体式洋上風力発電システムに関する科研費を受領した研究に関与し、研究成果として指導教授と連名で論文を発表していた。中国に帰国後、国防技術の発展に寄与した研究者に授与される「国防科技工業科学技術進歩一等賞」を受賞しているという。

二人目は、ハルビン工業大教授だ。同大は、外国ユーザーリストに掲載されている。教授は〇一年～〇四年にかけて、関西と九州の二つの大学で金属材料などに関する研究活動を行った。帰国後、中国の軍需企業である「中国航発ハルビン軸受有限公司」の技術主席顧問専門家に就任した。

三人目は南京航空航天大教授で、一九九一年度から二〇〇七年度にかけて東北地方の大学で研究に従事した。政府によると、この間、一七件、総額約一億三〇〇〇万円の科研費を受領した。加えて、文科省、経産省などから三億円以上の研究助成金を受けていたとみられる。中国に戻ってからは、国防科工委イノベーションチームに選ばれた。軍事研究の装備研究プロジェクトの助成も得ていた。

留学生を通じた、日本の安全保障を害しかねない技術流出は、現在進行形で起きていると考えておかなければならないのではないか。

企業や研究所でも、中国人技術者を通じた技術流出が問題になっている。量子暗号通信の分野で起きた事例を見てみよう。量子コンピューターは、世界最速のスーパーコンピューターで何年もかかる計算を瞬時にやってのける。その技術を使うと現在の暗号通信は全て解読されてしまう一方、量子暗号は絶対に破られない「究極の暗号」となる。

日本では、二〇〇〇年代初頭から総務省所管の研究機関「情報通信研究機構」が電機メーカーと連携して研究を進め、一〇年には米国と欧州に次ぎ、世界で三番目に量子暗号通信網を完成させた。東京の大手町と小金井市にある同研究機構本部を結び、世界で初めて量子暗号を使った動画の送信にも成功した。

だが、リーマン・ショック後の一〇年代前半には、「すぐには市場が見いだせない」として研究を縮小する企業が相次いだ。

その間、国を挙げて研究に取り組んだのが中国だった。一六年に世界初となる量子暗号通信の専用衛星「墨子号（モーズー）」を打ち上げると、一七年には墨子号を使って人工衛星と地上間の量子暗号通信を世界で初めて実現した。一七年九月には北京―上海間約二〇〇〇キロを光ファイバーと中継局で数珠つなぎに結ぶ世界最大規模の量子暗号通信網の開通を発表した。

同研究機構の武岡正裕・量子ICT先端開発センター長は二〇年五月一三日付読売新聞朝刊の記事で、「中国は実績を重ね、実用化に向けたノウハウをためている」と中国の実力を認めている。

中国で量子技術の研究を推進したのは、中国科学技術大学の潘建偉教授をはじめとした、欧米などで学んだ中国出身の研究者だ。実は、同研究機構からも、量子分野の研究を主導してきた中国人研究者が、一三年に中国科学院の研究所に移ってしまったという。関係者は「技術やノウハウが流出してしまった」と悔やむ。

「トロイの木馬」孔子学院

中国政府は〇四年から、中国語と中国文化の普及を目的に、世界各地の大学などに「孔子学院」と呼ばれる教育機関の設置を進めた。北京にある「孔子学院本部」のサイトによると、一九年末時点で世界一六〇以上の国・地域に五五〇か所の孔子学院が設置されている。中国語を教えたり、料理や書道、太極拳などの講座を開いたりしているという。日本にも立命館大や早稲田大などに一四の孔子学院がある。

孔子学院がただの文化交流機関であれば何も問題はない。しかし、米戦略国際問題研究所（ＣＳＩＳ）は二〇年七月、孔子学院は、中国共産党で対外世論工作などを担う中央統一戦線工作部などの下で党のプロパガンダを広め、情報収集を行っている可能性があると分析した報告書「日本における中国の影響」を発表した。海外の学生や大学教授ら知識人の中に「親中派」を育て、ウイグルの人権問題や共産党独裁などを問題視しない、共産党政権に寛容な世論を形成していく狙いがあるのではないか。より積極的に中国共産党の影響工作を担う専門家などをリクルートする場にもなっているほか、日本を含む海外の大学の研究成果や知的財産を狙う拠点となっている可能性も指摘されている。

米国では遅くとも一八年には、孔子学院が中国のスパイ活動の拠点になりかねないとして、FBIによる監視が強化された。FBIのレイ長官は同年二月の議会公聴会で、孔子学院の活動が米学術界で中国に対する「無邪気な」見方を広める手段になっていると「懸念」を示し、「我々は注意深く（孔子学院を）見ており、中には捜査に発展したものもある」と述べた。

米議会でも、孔子学院への厳しい見方が強まった。地元の大学に孔子学院の閉鎖を求める書簡を送った下院国土安全保障委員長のマイケル・マッコール議員（テキサス州選出）は、「（孔子学院は）大学の学術分野を通じて米国に入り込んでくる『トロイの木馬』で、（中国が）情報活動や知財の窃取を実行するための手段の一つだ」（同年九月一日付読売新聞朝刊）と話している。トロイの木馬とは、地中海沿岸の城塞都市・トロイが、ギリシャ軍が城壁の外に残した巨大な木馬を城内に運び込んだところ、木馬の中に潜んでいたギリシャ兵の奇襲を受け、制圧されたという古代ギリシャの伝説の一つだ。

二〇年八月には、国務省が孔子学院の米国内の本部組織であるワシントンの「孔子学院米国センター」について、中国政府の宣伝活動を担う機関とみなし、大使館などと同様、雇用状況や所有資産などの報告を義務付けると発表している。ポンペオ国務長官は声明で、孔子学院は「中国共産党の世界的なプロパガンダ機関の一部だ」と主張した。

CSISの報告書によると、米国ではこうした批判的な世論の強まりから、一八年以降に少なくとも一五の孔子学院が閉鎖された。オーストラリアやベルギーでも、スパイ活動への懸念から孔子学院が閉鎖されているという。

ところが日本では、孔子学院を閉鎖する動きは本格化していない。CSIS報告書は、日本の孔子学院は全て私立大学に設置されており、資金繰りが厳しい経済的事情から孔子学院を受け入れやすいとの見方を紹介している。実際、早稲田大学では、中国人留学生の数が全留学生の過半数に上っていると指摘している。

都合の悪い世論許さぬ中国

中国は、各国の世論に影響を持つオピニオンリーダーが中国共産党への批判を控えるような世論工作にも力を入れている。

米議会の諮問機関・米中経済安全保障調査委員会が一八年に発表した報告書によると、香港を拠点とする非営利組織「中米交流基金会」は、国際関係研究で有名なワシントンのジョンズ・ホプキンス大高等国際問題研究所（ＳＡＩＳ）に寄付研究のためとして資金提供していた。

この基金会は、香港の初代行政長官で中国の国政助言機関・人民政治協商会議副主席の董建華氏が運営する組織だ。報告書は、前述した中央統一戦線工作部が基金会を隠れみのに、ＳＡＩＳに中国寄りの立場を取らせようとしたと結論づけた。基金会がＣＳＩＳやブルッキングス研究所など複数の研究所と提携関係を持ってきたとも指摘した。

ブルッキングス研究所に勤務したことがある日本政府関係者は、「中国の資金拠出により、研究所幹部の間に中国に批判的なシンポジウムの開催を控えるような忖度の雰囲気があった」と証言する。

中国は、議会への浸透も図っている。『「日中韓」外交戦争』（読売新聞政治部、新潮文庫）と重なるが、改めて紹介したい。ワシントン・ポスト紙は一三年二月一八日の電子版で、中国が米議会の議員補佐官を接待漬けにしている実態を詳報した。「議員補佐

2021

8月の新刊

新潮新書

毎月20日頃発売

新潮社

〒162-8711 東京都新宿区矢来町71 TEL.03-3266-5111　https://www.shinchosha.co.jp

8月新刊　4点刊行!

日本大空襲「実行犯」の告白
なぜ46万人は殺されたのか

鈴木冬悠人

◉836円 610917-1

敗色濃厚の日本に対して、なぜ徹底的な爆撃がなされたのか。半世紀ぶりに発掘された米将校246人、300時間の肉声テープが語る「日本大空襲」の驚くべき真相。

楽観論

古市憲寿

◉968円 610918-8

絶望って、安易じゃないですか? 危機の時代を、悲観的にならずに生き抜くための鍵は、「あきらめながらも、腹をくくる」「受け入れながらも、視点をずらす」ことにある。

中国「見えない侵略」を可視化する

読売新聞取材班

◉858円 610919-5

「千人計画」の罠、留学生による知的財産収集――いま中国が狙うのが、「軍事アレルギー」の根強い日本が持つ重要技術の数々だ。経済安全保障を揺るがす脅威を、総力取材!

甲子園は通過点です
勝利至上主義と決別した男たち

氏原英明

「メジャーリーグを目指しているので、頑張るのはこの試合じゃない」。球数制限、科学的トレーニングなど、将来を見据え官、外国政府持ちで頻繁に旅行」と見出しの付いた記事は、無料の招待旅行を禁止する倫理規則の例外となる「文化交流」の名目で、万里の長城や紫禁城、上海の視察や豪華な食事、高級ホテルでの宿泊などを「米中政策基金」など中国と関係の深い組織が丸抱えしていたことを告発した。

議員補佐官は、法案や決議案の原案を書くなど政策立案に大きな影響力を持っている。〇六年から一一年末までの六年間で、議員補佐官らの外国への招待旅行は計約八〇〇件あったが、このうち中国が二一九件を占めダントツだった。日本は一三件だけだった。

中国は一方で、米国の報道機関や研究者に対し、威圧的な方法で不都合な言論を封じることもしている。

大学やシンクタンクの中国研究者は、中国に都合の悪い研究を行っていると見なされると、中国への入国ビザが発給されなくなるケースがあるという。

人権活動家への接触や中国当局批判などで一九九六年に入国を拒否された経験を持つカリフォルニア大リバーサイド校のペリー・リンク教授は、こう現状を嘆く。

「研究者のほとんどが自己規制し、中国政府のやり方を批判しようとしない」

一九年九月には、中国社会科学院近代史研究所の招きで北京を訪問した北海道大の男性教授が、中国当局に二か月余り拘束された。拘束理由は明らかにされていないが、教授は、中国現代史に関する研究をしていたといい、「共産党に都合の悪い内容の古い書物を入手したためではないか」（外務省幹部）との見方が出ている。

こうした動きには、学術界からも反発が広がった。「新しい日中関係を考える研究者の会」は同年一〇月二九日に緊急声明を出し、「理由が不明なままの拘束は、国際社会では到底受け入れられません。その結果として中国のイメージに大きく傷がつき、人々の不信感が増長することは避けられないことでしょう」などとして、関連情報の開示を求めた。日本の研究者が中国を訪問する形式での学術交流には、大きな影響が出たという。

報道機関も例外ではない。中国当局が設けたウイグルの収容施設でウイグル族の女性が組織的な性的暴行を受けていたなどとして中国を批判する番組を英ＢＢＣが放送すると、中国当局は二一年二月一一日、中国国内での国際放送を禁止すると発表した。

ＢＢＣによると、中国の放送規制当局・国家広播電視総局は、「ニュースは真実かつ公平でなくてはならない」などとする中国の放送ガイドラインにＢＢＣが「著しく違反した」と述べた。これに対し、ＢＢＣは「中国当局がこのような措置を決めたのは残念だ。ＢＢＣは世界で最も信用されている国際報道放送局であり、世界各地のニュースを公正公平に、誰にひるむことも肩入れすることもなく伝えている」とする声明を発表し、反論した。

ＢＢＣの国際放送はそもそも、中国では大部分が制限され、外資系ホテルや外国公館などでのみ視聴が可能だった。ほとんどの国民は見ることができない状態だったが、共産党政権は批判を許さない姿勢を明確にした。報道の国際的な影響にも懸念を強めたためとみられる。

中国海洋調査船が日本領海で

経済活動には、思わぬところに落とし穴がある。日本の領海（陸地沿岸から一二カイリ＝約二二キロまでの海域）内で行われる民間の海洋調査で、中国系の調査船が下請けとして調査しようとするケースが一九年に発覚した。

国連海洋法条約は、他国の排他的経済水域（ＥＥＺ）内で海洋調査などを行う場合は、ＥＥＺを管轄する国の事前同意が必要と規定している。だが、中国の海洋調査船は日本の事前同意を受けずに、かなりの頻度で日本のＥＥＺ内で海洋調査を実施している。海底地形や海水温の情報は、資源探査など経済的な権益に関係するだけでなく、潜水艦の潜没航行など軍事的にも活用できるためだとみられている。

それだけでなく、経済活動を目的とする場合、手続きを踏めば外国船でも日本の領海内で海洋調査が可能で、抜け穴になっていた。

複数の日本政府関係者によると、政府は一九年、洋上風力発電施設の建設を目的とした海底調査二件と、海底ケーブル敷設に関する海洋調査一件で、こうしたケースを確認した。

このうち、四月に発覚した秋田沖の事案は、中国の海洋地質調査局に所属する海洋調査船が日本の事業会社から委託を受けたものだった。新潟港に中国の海洋調査船「海洋地質一〇号」が入港しているという海上保安庁からの連絡に、内閣官房の国家安全保障局の幹部たちは耳を疑ったという。

海洋調査船の航行の目的は、秋田沖の洋上風力発電事業に必要な海底地形などのデータ収集だった。領海内の海底地形が中国側に筒抜けになれば、潜水艦に特殊部隊を乗せて海岸線に近づき、上陸作戦を行うなどの軍事作戦が実行しやすくなる。しかも、調査予定の海域は、地上配備型迎撃システム「イージスアショア」の配備が当時検討されていた秋田市の自衛隊施設の「目の前」だった。

洋上風力発電を所管する資源エネルギー庁などは、こうした安全保障上の懸念を考慮することはなく、国家安全保障局や外務、防衛両省などと事前に情報を共有していなかった。

結局、首相官邸が対処に乗り出し、中国海洋調査船への委託を見直すよう、元請けの日本の事業会社に促した。一九年四月に施行された洋上風力発電利用促進法（海洋再生可能エネルギー発電設備の整備に係る海域の利用の促進に関する法律）には、安全保障の観点からの規制は存在しておらず、「法的根拠に基づかない要請」（政府関係者）だったが、事業会社側はこれを受け入れ、中国海洋調査船は調査を行う寸前で引き返した。

首相官邸幹部は「経済官庁は安全保障に対する意識が低すぎる」と振り返る。

一九年に見つかった三件中、残りの二件は、香港に拠点を置く民間企業が、伊豆沖と鹿児島沖の二か所で委託を受けて調査する予定だった。政府が元請けの事業者に協力を要請し、事業者側はいずれも香港の民間企業による調査の中止に応じたという。

政府はこれらの事案を受け、日本領海内で民間の経済活動として行われる海洋調査から中国系の調査船を事実上、排除する方針を決め、体制を整備した。

具体的には、内閣官房や外務省、総務省、資源エネルギー庁など一〇府省庁が、外国船舶を使った経済目的の全ての調査について、事前同意を求めることを申し合わせた。同意を与えるまで、事業に関連する他の活動の許可を保留する。事業者が同意なく調査を行った場合は、外国船舶に領海内での徘徊や不規則な動きを禁じる「外国船舶航行法」を適用し、海上保安庁が強制退去させるとともに、本体事業を受注させないなど厳しく対処する方針だ。

政府関係者は「安全保障上の懸念があるので『ゼロリスク』で対処していくことにした」と話した。

政府は二〇年、さらに規制を強化し、洋上風力発電事業については事業者を「国内法人」に限定した。資源エネルギー庁と国土交通省は六月二四日、長崎県五島市沖の洋上風力発電事業で国内初の事業者公募手続きを開始した際、公募参加資格について、国内に本店や主たる事務所を有する「国内法人」と明記した。

ただ、洋上風力発電では、実績のある欧州企業との協業が見込まれている。こうした企業は、日本法人を作ったり、日本の特別目的会社に出資したりすれば参入できるが、外資系の日本法人に対しては、国家安全保障局や警察庁などが安保上のリスクを精査し、慎重に対応する考えだ。

また、中国の影響を受ける日本企業が調査をする場合などは締め出すのが難しく、対応の限界も指摘されている。この問題を担当する内閣官房の政府高官は「外国が関係する領海内の海洋調査を規制するには、法改正や新法制定を検討する必要がある」と話す。

空港隣接地を「買われた」

北海道を中心に全国各地の土地が、中国系資本によって買い占められている。

政府の調査では、太陽光発電などのエネルギー事業者として中国系資本が買収に関わったとみられる土地は全国で約一七〇〇か所にも上る。この中には、在福岡中国総領事が名誉顧問を務める中国系企業団体の幹部が関与している沖縄県・宮古島の太陽光発電所や、特定の在日中国人が北海道を中心に約五〇〇件の取引に関与したとみられるケースが含まれているという。このほか、リゾート開発や「資産保有」などを理由にした中国系資本の土地取得も多数確認されている。

これらの中には、目的が不透明で、経済合理性がないような取引も少なくない。自衛隊施設などの周辺で中国系資本が関わったとみられる事例も、約八〇か所に上った。

こうした現状に二〇一〇年代前半以降、全国各地で周辺住民などから不安の声が上がっている。

「航空自衛隊千歳基地や東千歳駐屯地、新千歳空港から約三キロの隣接地の苫小牧市美沢で、中国の企業による七・九ヘクタールに及ぶ大規模な土地取引がありました。（中略）航空自衛隊千歳基地や東千歳駐屯地も、この情報を知りませんでした。自衛隊側も驚いていました。行政区域が違えば、情報収集の共有、連携がとれないということは、国民保護の観点から問題提起をしなければなりません」

北海道千歳市議会では一四年、市議会議員が市当局にこう問いただした。買収された土地は、新千歳空港の滑走路の南端に隣接する森林だった。

一六年には、沖縄県・竹富島で約二万四〇〇〇平方メートルの住宅整備予定地に中国ファンドから買収の申し出があったことが、竹富町議会で問題になった。

長崎県・対馬の海上自衛隊施設の隣接地が韓国人に買収されたこともよく知られている。

政府は、一三年の国家安全保障戦略に、「国家安全保障の観点から国境離島、防衛施設周辺等における土地所有の状況把握に努め、土地利用等の在り方について検討する」

と明記した。その後、約六五〇の防衛施設周辺の土地について、所有者などの調査を継続的に行っているが、強制力のある措置は取られてこなかった。政府は法整備を検討していたが、野党の反対に加え、与党の公明党も私権制限に懸念を示すなど危機意識が薄かった。

自衛隊施設などの周辺の土地を外国資本が買収することがなぜ問題なのか。

〈自衛隊基地の航空機などに対して妨害電波を出す〉
〈自衛隊基地に設置されたレーダーを遮るように巨大な建築物を造る〉
〈自衛隊基地に侵入するための地下トンネルを掘る〉
〈自衛隊基地が使う電気や水道を遮断される〉

政府が懸念しているのは、重要施設周辺の土地が安全保障を害する形で利用されることである。

政府は二一年の通常国会にようやく、安全保障上、重要な土地の監視や規制を強化する「重要土地等調査・規制法案」を提出し、六月に成立させた。自衛隊施設や米軍基地、海上保安庁の施設、原子力発電所などの生活に直結する重要インフラの周辺一キロと、国境離島の一部を「注視区域」に指定し、土地・建物の所有者やその国籍、利用目的を国が調査できるようにすることが柱だ。

特に重要な施設の周辺は「特別注視区域」とし、売買の際に事前の届け出を義務づけるという。

従来の調査は、一般に公開されている不動産登記簿を調べるというものだったが、国籍を確認することすら容易ではなかった。そのため同法には、住民基本台帳や戸籍簿の活用、所有者への資料提出要求を可能にする内容が盛り込まれた。

さらに、自衛隊などの機能を阻害する土地の利用や、その「明らかなおそれ」がある場合、政府が中止を命令できるようにした。従わない所有者に対し、罰則を科す規定も含まれている。

政府保有のドローンは中国製だらけ

政府は現在、安全保障向けを除いて約1000機の小型無人機（ドローン）を保有している。赤外線や高性能レーダーを搭載し、ダムや河川のインフラ管理のほか、3D地図向けの測量業務などに活用されている。

政府が二〇年春、これらの機種を調べたところ、ほとんどが中国大手「ＤＪＩ」製だった。ＤＪＩ製は安価な反面、中国への情報流出の懸念があるとして米国は排除を進めていた。

このため政府は原則として、高いセキュリティー機能を備えた国産の新機種に入れ替える方針を固めた。安全保障の観点から、中国製ドローンを事実上排除する狙いがある。二一年度から、全省庁や独立行政法人・特殊法人のドローンについて、①防衛や犯罪捜査 ②重要インフラの点検 ③機密性の高い情報を扱う測量 ④救命・救難――などを「重要業務」に指定し、サイバー対策が講じられた機種のみ使用を認める。代替機を順次調達する見通しだ。重要業務以外についても、「第三者に乗っ取られればテロや犯罪に悪用されかねない」（内閣官房）として、原則、入れ替えを求めている。

また、新規でドローンを調達する際は内閣官房に事前に相談し、リスク評価を受けることを義務化する。製造過程で不正プログラムなどが仕込まれる「サプライチェーン・リスク」が疑われる機種は、調達から除外する。

安保分野では、ＤＪＩ機種の置き換えを先行して進めている模様だ。

政府は、安全性の高い国産ドローンの新規開発を後押ししている。既に、自律制御システム研究所、ヤマハ発動機、NTTドコモなど五社の連合が、国の委託事業として開発に着手し、二一年度の量産化を計画中だ。高度な暗号通信技術で飛行・撮影情報を守ることを目指している。

「借金漬け」「不買運動」という武器

ここまでリスクを伴う中国依存の事例を取り上げてきたが、中国は、経済活動を自国の影響力を拡大する手段とし、露骨に国益を追求する姿勢を鮮明にしており、より幅広い意味で経済活動を「武器」にしている。そうした経済的な威圧を、「エコノミック・ステートクラフト（経済外交策）」と呼ぶ。

巨大経済圏構想「一帯一路」がいい例だろう。途上国の港湾施設などに、返済能力を度外視した巨額融資を行って借金漬けにしたうえで、台湾との国交断絶を迫ったり、中国の人権問題などで国際社会の批判に加わらないように圧力をかけたりしているとの指摘がある。中国の巨額融資は、内容を公表しない、他国の融資より優先権がある、などの秘密条項も含んでいるとされ、返済不能になった場合には港湾施設を中国が支配下に収めるケースもある。国際的なルールと整合性がなく、「債務の罠」と呼ばれる。

途上国への融資だけではない。中国との貿易や中国製品に経済を大きく依存している先進国も、経済関係を脅しに使われるリスクを抱える。

日本も一〇年に起きた尖閣諸島沖での中国漁船衝突事件の後、ハイテク製品の生産に欠かせないレアアース（希土類）の輸入を止められた。中国は訪日団体旅行も一時、募集をやめた。逮捕された中国人船長の釈放を求める圧力だった。当時の民主党政権は、勾留期限前に船長を釈放し、中国に帰国させた。米ニューヨーク・タイムズ紙は、「日本と中国の外交対決は、太平洋の関係を試す試金石での屈辱的退却に見える日本の譲歩で終わった」と分析した。ウォール・ストリート・ジャーナル紙も、「中国は、船長が起訴もされずに釈放されたことを、外交的勝利と位置づけている」とし、「中国がアジアにおける領土紛争で、大胆さを増す危険を引き起こした」と日本政府の妥協による地域への悪影響に懸念を示した。

韓国が一七年に在韓米軍への最新鋭ミサイル防衛システム「最終段階高高度地域防衛（ＴＨＡＡＤ）」の配備に踏み切ると、中国は猛反発し、「不買運動」などを通じて様々な報復を行った。

THAADの配備用地を提供した韓国大手財閥ロッテグループは、中国に展開していたスーパーマーケット九九店舗の大部分が休業に追い込まれた。中国は韓国への団体旅行を禁止し、訪韓客は半減した。現代自動車グループは中国での新車販売台数が激減した。これらの報復による一七年の被害総額は、韓国国内総生産（GDP）の約〇・五％に相当する八兆五〇〇〇億ウォン（約八六〇〇億円）にも上った。

韓国は関係を正常化させるため、①THAADの追加配備 ②米国のミサイル防衛網参加 ③日米韓の軍事同盟化——を行わない「三不（三つのノー）政策」を表明した。

二〇年には、オーストラリアがターゲットにされた。豪州は、対中貿易黒字を計上している数少ない先進国だ。一五年に中国との間で結んだ自由貿易協定（FTA）が追い風となり、農産品やワインの輸出が好調だった。一八～一九会計年度には、中国向けが輸出全体の約三分の一を占め、日本や米国を上回り、最大の貿易相手だった。

ところが二〇年四月、スコット・モリソン首相が新型コロナの発生源を巡り、「私たちは、ウイルスが中国で始まったこと、武漢で始まったこと、最も可能性の高いシナリオは野生動物を扱う市場と関連があることを知っている。しかし、大事なことは徹底して調査が行われることだ。世界的な災難が再び起きるのを防ぐために、何が起きたのか理解することは重要だ」と述べ、国際的な独立調査を中国に求めると、中国は激しく反発した。駐豪中国大使は地元紙のインタビューで、中国の国民が豪州産製品をボイコットしたり、豪州を訪問しなくなったりするだろうと、公然と「脅し」をかけた。

豪政府が「脅迫や経済的な威圧を理由に、公衆の健康に関する問題で政策立場を変えることはない」と正論ではねつけると、中国は五月、「検疫上の理由」から豪州産食肉の輸入を一部停止した。直後には大麦の価格が不当に安いなどとして、八〇%超の追加関税を課した。その後も中国は「非公式な関税措置」を次々と講じた。ワインの輸出は、中国が追加関税を課してからの二か月間だけで、前年同期比二億五〇〇〇万豪ドル（約一九八億円）も落ち込んだ。ロブスターの中国向け輸出も、突然行き場を失い、生産者を困惑させた。

中国の矛先は、天然資源にも及んだ。鉄鉱石に次いで二番目に対中輸出額が多い石炭は、一〇月から中国への荷揚げが認められない「非公式の禁輸措置」を受けた。

新型コロナの感染が世界的に広がった二〇年には、各国でマスクや医療物資が不足した。日本でも早朝から、マスクを求める市民が薬局などに長蛇の列を作り、生活に不可欠なものを海外に依存していては緊急事態において国民の生活を守れなくなる恐れがあるとの認識が広まった。

中国も当初は、マスク不足に見舞われた。習近平国家主席は同年四月に開かれた共産党の会議で、中国のマスクの一日あたりの生産能力が一月末の一〇〇〇万枚から五億枚にまで増加したことを挙げ、「中国の完全な産業システム、強力な動員力及び産業転換力」が機能したと自賛した。そのうえで、「重要な製品と供給チャネルで少なくとも一つの代替供給源を確保し、必要な産業バックアップシステムを形成するよう努めなければならない」と指示した。

中国共産党の機関誌「求是」によると、習氏は、「産業チェーン、サプライチェーンは肝心な時に断裂させることはできない。これは、大国経済が備えておかなければならない重要な特徴である。今回の新型コロナの流行は戦時下でのストレステストである」と述べたという。部品供給を意味するサプライチェーンに対し、「産業チェーン」は機械の組み立てや設計を含むより広い意味で使われているとみられる。

習氏は、「世界の産業チェーンの対中依存関係を強め、外国による人為的な供給停止に対する強力な反撃と抑止力を構築しなければならない」とも強調した。様々な製品のサプライチェーンを中国に依存させることが、中国にとって大きな「武器」になることも、改めて習氏の頭の中に刻み込まれたことは間違いない。

中国「ワクチン外交」の成果

中国は、新型コロナ禍の中、中国製のマスクを各国に提供する「マスク外交」を展開した。相手国の要請を待たずに医療物資を提供し、日本にも中国の友好都市などから各地にマスクが届いた。

ただ、マスク提供は無条件ではなかった。中国への感謝を公に示すことや、新型コロナの中国・武漢起源説など中国に都合の悪い発言をしないことが暗に求められた。

元米国家安全保障会議アジア上級部長のエバン・メデイロス・ジョージタウン大教授は二〇二〇年五月九日付読売新聞朝刊のインタビューで、「中国はマスクなど医療物資の供与でソフトパワーを拡大したいのだろうが、中国に対する前向きな外交声明を条件としていることなどから効果は上がっていない」と指摘した。新型コロナに関する情報開示や感染が最初に拡大した武漢への国際的な調査を中国が拒んでいたことなどもあり、「以前から中国のお金を受け取っている国ではうまくいっているが、懐疑的だった国はより懐疑的になっている」と話した。

確かに、それまで中国との経済関係を安全保障よりも優先してきたように見える欧州でも、中国への警戒感が強まった。日本が提唱し、米国も採用した「自由で開かれたインド太平洋」という構想に欧州も加わり、南シナ海や東シナ海への海軍の派遣などで日米同盟との連携を強化した。

しかし、国力の弱い国では中国のコロナ対策支援は有効だった。特に、二一年に中国が自国製ワクチンを提供する「ワクチン外交」を始めると、欧米の製薬会社からワクチンを入手できなかった東南アジアやアフリカの途上国は、次々と中国製ワクチンに飛びついた。中国外務省は二一年二月八日、五三か国にワクチン援助を実施済みか、実施予定だと発表した。

感染による死者数が欧米ほど多くはない日本でも、ワクチン確保の遅れに対し、野党やマスコミが菅首相を強く批判した。比較にならないほど感染状況の悪い途上国の首脳たちにとって、ワクチンはのどから手が出るほど欲しかったに違いない。インドネシアでは、ジョコ・ウィドド大統領が「国民第一号」として中国の製薬大手「科興控股生物技術（シノバック・バイオテック）」製のワクチンを接種した。

フィリピンは、南シナ海のフィリピン・パラワン島沖のウィットスン礁で二一年三月以降、中国漁船が最大二二〇隻も停泊を続けているのを確認したが、ロドリゴ・ドゥテルテ大統領は中国との関係維持を重視し、同年六月末の時点で排除などの強硬な措置を取っていない。中国がドゥテルテ氏の求めに応じ、シノバック社製のワクチンを提供したことが影響したとの見方がある。

日米はこうした状況を懸念し、巻き返しを図っている。日本政府は二一年二月、ワクチンを共同購入し、途上国などに分配する国際的枠組み「COVAX（コバックス）」に二億ドル（約二一〇億円）の拠出を表明した。さらに六月二日には、途上国に新型コロナウイルスワクチンを供与するための「ワクチンサミット」をオンライン形式で開催し、菅首相がコバックスに対し、八億ドル（約八七七億円）を追加拠出するほか、国内で受託生産する英アストラゼネカ製ワクチン三〇〇〇万回分を提供する考えを表明した。これにより、日本のコバックスへの拠出表明額は計一〇億ドル（約一〇九七億円）となった。

コバックスは二一年中に途上国人口の三割に当たる一八億回分のワクチンを供与する目標を掲げていたが、五月末時点で、必要な資金八三億ドル（約九一〇七億円）のうち一三億ドル（約一四二六億円）が不足していた。サミットでは日本以外からも資金の拠出表明があり、菅首相は「目標の八三億ドルを大きく超える額を確保することができた」と明らかにした。

また、六月に英コーンウォールで開かれたG7サミットは、途上国などに来年にかけてワクチン10億回分の供与に相当する支援を行うと首脳宣言に明記した。米国が五億回、英国が一億回、日独がそれぞれ三〇〇〇万回分のワクチンを途上国などに提供するほか、G7各国が資金支援でワクチン接種の拡大を目指す。

ただ、中国が五月現在で、八〇か国以上にワクチンを無償提供し、五〇か国以上に輸出。合計で三億回分を供与したとしているのと比べると、日米など先進国の対応が自国へのワクチン接種のために大きく出遅れたことは否めない。

第四章　米中デカップリング始動

大統領令でファーウェイ排除

この章では、重要な技術や産業、製品について中国に渡らないようにしたり、中国依存の度合いを下げたりする米国の「デカップリング（切り離し）」の動きについて検証していく。米政府は二〇一八年後半には、デカップリングの包括的な構想を練っていたようだ。

トランプ政権のペンス副大統領は一八年一〇月四日、米ワシントンのハドソン研究所で対中政策について演説し、「中国政府はあらゆる手段を使って米国の知的財産を手に入れるよう指示している。安全保障に関わる機関が『窃盗』の黒幕だ」と厳しく批判した。

これに続き、同政権で対中強硬政策を主導したピーター・ナバロ大統領補佐官が一一月九日、ワシントンのＣＳＩＳで講演し、中国による経済的侵略を強く非難した。

ナバロ氏はこの際、中国が①自国市場保護措置　②国際市場シェアの拡大　③核心的天然資源の世界的囲い込み　④伝統的な製造業の支配　⑤米国及び世界からのカギとなる技術・知財の奪取　⑥将来の成長を促すハイテク産業の囲い込み――などを行っていると指摘した。

ナバロ氏は一二月にも、米政府の海外向け放送「ボイス・オブ・アメリカ」のインタビューで、「米国の技術的な資産に対する中国の攻撃は、最も深刻な問題だ。ＡＩやロボット工学といった最先端産業は、雇用を作り出すだけでなく、どちらの国がこれらの軍事的な強みを独占するかを決するからだ」と強調した。

ナバロ氏の分析は、トランプ政権の経済安全保障面での中国に対する懸念の強さをストレートに表していると言える。

デカップリングの本格的な動きは、中国通信機器大手ファーウェイなどの中国製５Ｇの排除から始まった。

ファーウェイは一九八七年創業の中国企業で、一九年の時点で通信機器は世界一位、スマートフォンは世界二位のシェアを誇っていた。低価格のスマートフォンで業績を伸ばした。創業者は中国人民解放軍出身で、同社と軍のつながりが問題視されていた。

米国は一八年八月に成立させた「国防権限法」で、政府機関や政府との取引企業に対し、ファーウェイとＺＴＥの二社の機器やサービスの利用を禁じた。米政府は、二社の携帯電話や半導体にはウイルスなどが仕込まれ、中国による不正傍受やサイバー攻撃に利用される恐れがあるとした。

そして同年一二月一日には、カナダ当局が米国の要請に基づき、ファーウェイの孟晩舟（モンワンジョウ）・最高財務責任者（ＣＦＯ）を米国のイラン制裁に違反した容疑で拘束した。孟氏は一一日に保釈されたが、裁判所は孟氏に対し、保釈金一〇〇〇万カナダ・ドル（約八億五〇〇〇万円）のほか、ブリティッシュ・コロンビア州からの移動禁止、監視のためのＧＰＳ装置の足首への装着などの条件を課した。

米政府は孟氏の身柄引き渡しをカナダ司法省に要請したが、裁判所での審理は長期化している。近く最終の審理が開かれ、引き渡しの可否が判断されるとの見方がある。いずれにしても、孟氏の拘束は、ファーウェイ排除に向けた米国の強い決意を感じさせた。

トランプ大統領は一九年五月一五日、国際緊急経済権限法に基づき、情報通信技術などへの脅威に関する国家緊急事態を宣言し、米企業に対して安全保障上の脅威がある外国企業の通信機器の調達を禁じる大統領令に署名した。

「外国の敵対者は通信機器・サービスの弱みにつけ込み、米国に対して産業スパイ行為などのサイバー攻撃を仕掛けてきた」

トランプ氏はこう述べ、ファーウェイなどの排除の必要性を強調した。新たな大統領令により、中国製5G排除が民間企業にも拡大された。

これを受け、米連邦通信委員会は、ファーウェイとZTEの機器を、米政府の補助金を受け取る通信会社が購入することを禁ずる規制を導入した。

ファーウェイは「中国当局に情報を渡すことはない」と主張したが、米連邦通信委員会のアジット・パイ委員長は声明で「(ファーウェイなどが)中国共産党や軍事組織と密接な関係がある」と断定。国家情報法などに基づきスパイ活動などに悪用される恐れがあるとし、「重要な通信インフラを危険にさらすことを許さない」と強調した。

米国は、日本を含めた同盟国にも、通信ネットワークからファーウェイを排除するように要請した。

日本政府は一九年四月から、政府機関で使う情報通信機器について、機密漏洩やサイバー攻撃といった安全保障上のリスクも考慮し、総合的に調達先を決める運用を始めた。

民間業者もファーウェイの採用は控えており、米国と完全に足並みをそろえている。

二〇年二月に都内で開かれたパネルディスカッションでは、中国人学者が「ファーウェイは情報を渡さないと約束しているので、それを信じるべきだ」と主張したのに対し、自民党の甘利明・ルール形成戦略議員連盟会長はこう指摘した。

「習近平国家主席は何だってできる。民間企業に対して『情報を出せ』と命令すればいいだけの話だ」

「クリーン・ネットワーク」計画

トランプ政権は一九年後半、より広範なデカップリングの構想作りを進めた。

「『グローバル・トラステッド・ネットワーク（信頼できる国際ネットワーク）』を早期に構築したい」

一九年一一月ごろ、日米関係を担当する政府高官は来日した米国務省高官から、こんな耳慣れない言葉とともに、一枚の紙を示された。通信の基地局や海底ケーブルといった重要インフラなどのハイテク製品・技術について、日米や英豪などの有志国の中で信頼できるサプライチェーンを再構築するという構想だった。

米国は5Gで中国企業の排除を進めていたが、グローバル・トラステッド・ネットワークは、ほかの重要施設・技術のサプライチェーンからも幅広く中国を排除しようとするものだった。

この高官は、「信頼できる企業をリストに明記して、そのリスト内の企業しかサプライチェーンに入れないという極めて厳しい内容だった」と明かす。

日本の産業界では、ハイテク技術が流出する恐れのない分野では日中協力を進めるべきだという考えが主流だ。このため、日本政府内で一時、大騒ぎになったという。

こうした中、二〇年一月、自民党の甘利氏のもとを在京米大使館員がひそかに訪ねた。サプライチェーンについて話が及ぶと、甘利氏は「中国市場を完全に無視することはできない。デカップリングさせる分野をはっきりさせることが重要だ」と指摘した。大使館員は甘利氏の考えを国務省に伝えると約束した。

日本政府は米政府の厳しい姿勢に身構えたが、グローバル・トラステッド・ネットワークはその後、すぐには進まなかった。「米政府は当初、G7サミットでこの構想を取り上げたい意向だったが、米政府内で意見が割れてまとまらなかったようだ」と首相官邸筋は打ち明ける。国務、国防両省に加え、商務省やビジネス界などを巻き込んで、議論の収拾がつかなくなったという。米国のアジア専門家の一人も読売新聞の取材に、「グローバル・トラステッド・ネットワークは、個別のアイデアはあるが、具体的にどうやるかという具体策がない。裏で企業が金もうけしようとしているといったネガティブな見方も出ている」と苦々しい表情で語った。

だが、頓挫したかに見えた構想は春になり、名称を変えて動き出した。国務省は四月二九日、国内外の米外交施設につながる5Gについて、信頼できる機器による通信を意味する「クリーン・パス」の基準を満たさなければならないと発表した。この中で、ファーウェイやZTEを名指しし、「中国共産党の指示に従わなければならない」のでクリーン・パスでは使わないと強調した。

これを受け、商務省は五月一五日、ファーウェイに対する禁輸措置をさらに強化すると発表した。それまでは、米国製の部品やソフトウェアなどをファーウェイへ輸出することを禁じる措置を取っていたが、今後は外国製の半導体でも、米国の技術をもとにした製造装置などを使っていれば、ファーウェイに供給できないよう規制するというものだった。外国企業にもファーウェイとの決別を求める内容だ。

トランプ政権の強硬姿勢に引っ張られ、日本を含めた西側諸国と、その企業の多くが、ファーウェイ排除に追随した。英国はそれまで、ファーウェイに「限定的参入」を認めるとしてきたが、七月一四日にこの方針を撤回し、翌二一年から5G関連のファーウェイ製品の購入を禁止した。英政府は、米国がファーウェイに対して米国技術の利用を制限する制裁を発表したことを理由に挙げた。

ポンペオ国務長官は八月五日、5Gネットワークに対する「クリーン・パス」の取り組みを他分野にも拡大する「クリーン・ネットワーク」計画を発表した。対象となったのは、次の六分野だ。

クリーン・パス（クリーンな5G）
クリーン・キャリア（クリーンな通信会社）
クリーン・アプリ（クリーンなアプリ）
クリーン・ストア（クリーンなアプリストア）
クリーン・クラウド（クリーンなクラウド）
クリーン・ケーブル（クリーンな海底ケーブル）

ポンペオ氏は、「TikTokやウィーチャットなどの中国系アプリは米国市民の個人情報に対する重大な脅威であり、米国のアプリストアから取り除かなければならない」「アリババなどの中国のクラウド事業者が米国内で膨大なデータを収集するのを制限する」などと、中国排除の狙いを強調した。

米国は、有志国やそれらの国の企業に対し、クリーン・ネットワークに加わるように求めた。ただ要請するだけではなく、国務省のホームページに参加企業名まで掲載した。「選ばれた5Gのクリーン通信事業者」には、日本のNTT、楽天、KDDI、ソフトバンク、NEC、富士通も名を連ねた。

二〇年九月には、ファーウェイが第三者を経由して半導体を調達することも原則として禁止した。ファーウェイに最先端半導体を納めてきた台湾の半導体受託製造世界最大手・台湾積体電路製造（TSMC）はこの米政府の方針を受け、ファーウェイとの取引を終了した。ファーウェイにもう少し能力の低い半導体を納めていたソニーとキオクシアも一時、輸出を止められた。米商務省から個別に輸出許可を受けるなどしているが、影響は少なくない。

グローバル・トラステッド・ネットワークが名前を変えて実現したと言っていいだろ

う。

輸出も投資も規制強化

米国は一八年に成立させた国防権限法で、中国の軍民融合戦略の脅威に対抗するための規制強化策を次々と講じた。国外からの投資に対する審査を厳格化したり、先端技術の輸出管理を厳しくしたりする複数の法律が盛り込まれた。

外国投資リスク審査近代化法では、安保上の懸念がある企業買収や対米投資を事後的にも阻止できる対米外国投資委員会（CFIUS＝シフィウス）の審査権限を強化した。

従来は、米国企業に対して「支配」を及ぼしうる外国人による買収や合併、議決権などの取得といった取引を審査の対象としていたが、新たに、重要技術、重要インフラ、米国民の機微な個人情報に関する取引には、取締役などへの就任、非公開情報へのアクセス、重要な意思決定に関与する権利を得る場合も審査対象に含めた。さらに、外国政府と関連のある投資家が、重要インフラや機微技術を持つ米国企業の経営に影響を与える可能性がある投資を行う場合には、事前審査を行うこととした。

シフィウスは財務長官が議長を務め、国防総省、国務省、商務省のほか、国家情報局のインテリジェンス部門もメンバーとして加わっている。インテリジェンス情報も駆使し、安保上リスクのある企業取引の排除を徹底している。

日本貿易振興機構（ジェトロ）ニューヨーク事務所によると、シフィウスが取引を阻止した事例として、一九八九年一一月にあった中国の国営航空会社「中国宇宙航空技術輸出入公司」による米航空機部品メーカー「マムコマニュファクチャリング」の買収がよく知られているという。ブッシュ（父）政権は、同公司の幹部がマムコ社を通じて軍事情報の入手を試みているとして、九〇年二月に大統領令を出し、同公司にマムコ社の持ち株の処分を命じた。

最近も、トランプ政権が二〇一七年九月、中国政府と関係がある米投資ファンドによる米半導体メーカー「ラティスセミコンダクター」（オレゴン州）の買収を阻止する命令を出している。ホワイトハウスは声明で、海外企業に知的財産が移転する可能性があるうえ、買収に中国政府が関与しているなどとして、買収は「米国の安全保障にとってリスク」になると強調した。

この買収によって、シフィウスの権限強化の必要性が議会などで認識され、外国投資リスク審査近代化法につながったとの指摘がある。

輸出管理改革法では、新興・機微技術の輸出管理が強化された。背景にあるのはデュアルユース技術の発展だ。伝統的な輸出管理は、輸出相手先は誰で、どのような用途に使うのか、という点をチェックしてきた。ところが、デュアルユース技術の場合、技術が渡った後にそれが軍事用に使われることが排除できない。特に、軍民融合を国家戦略とする中国では、そのリスクが高い。米政府はこうした認識から、軍事転用される可能性が高い技術そのものの輸出を管理する新たなアプローチを導入したのである。

第二章でも紹介したが、米政府は一八年一一月、新興技術として次の一四技術を示した。①バイオテクノロジー　②ＡＩ、機械学習　③測位技術　④マイクロプロセッサー技術　⑤先進コンピューティング技術　⑥データ解析技術　⑦量子情報、量子センシング技術　⑧輸送関連技術　⑨付加製造技術　⑩ロボット工学　⑪ブレイン・マシン・インターフェース　⑫極超音速　⑬先端材料　⑭先進監視技術――。

ただ、産業界や学術界からは、これらの技術全ての輸出を規制するのは影響が大きすぎるとして、より細分化して指定すべきだという慎重な意見が出された。このため、米政府も絞り込みを行う方針だ。日本の安全保障貿易情報センター（一般財団法人、ＣＩＳＴＥＣ）によると、二〇年一月に地理空間画像の規制が強化され、今後、量子コンピユーターや3Dプリンター、半導体技術などが五月雨式に規制されていくとみられているという。

米政府は、輸出管理規則の改定や運用の強化を先行させている。商務省は、安保上、米国の利益を害する活動に従事した団体への輸出を規制する「エンティティ・リスト（輸出規制リスト）」に、中国企業・団体を次々と追加している。米国の物品及び技術の軍事転用を支援していることなどが理由とされ、ファーウェイと子会社、後述する半導体企業、ハルビン工業大など政府系の学術・研究機関が含まれている。

加えて、エンティティ・リストよりもハードルが低い「未検証エンドユーザー・リスト」も活用している。輸出先が軍とつながりがあったり、商務省からの問い合わせや現地調査に応じず事後検証ができなかったりする場合に適用されるもので、一九年四月に中国の研究機関や大学に加え、民間企業も幅広く追加された。

また、従来は、安保上の理由で規制している品目のうち、それほど機微ではない品目については民生品として民間向けに輸出する場合には許可を不要としてきたが、この例外措置を二〇年六月に廃止した。形式的なエンドユーザーが民間とされていても、軍事利用されるリスクが排除できないという判断からだ。

中国に足元を見られたオバマ政権

クリーン・ネットワーク計画や輸出管理強化策からは、中国に軍事利用が可能な新興・機微技術を渡さないというトランプ政権の執念のようなものが感じられる。

これらの措置が取られた時期は、トランプ氏が制裁関税を含め米中対立を激化させていたため、トランプ流の過激なパフォーマンスだとの見方もあったが、中国の経済行為を通じた「見えない侵略」のリスクを排除するという政策的な狙いがあったのである。より大局的には、軍民融合戦略と「中国製造二〇二五」（第二章）によって米国を追い越そうと画策している中国と、軍事、経済で世界トップの地位を死守しようと立ち上がった米国の技術覇権争いの一環だった。

二〇年一一月の大統領選でジョー・バイデン氏が勝利すると、バイデン新政権がトランプ政権の対決的な対中姿勢を継続するかどうかに世界の関心が集まった。バイデン政権にはバイデン氏自身を含め、中国への「関与」を試みたオバマ政権の元高官が多かったからだ。

〇九年に発足したオバマ政権は当初、日米同盟を含む伝統的な同盟関係を基軸とした外交より、中国との大国間関係を重視した。オバマ大統領は同年夏にワシントンで開かれた「米中戦略・経済対話」で「米中関係が二一世紀を形作る」と演説し、中国を世界的課題への対処で共に主導的役割を担う「パートナー」と位置づけた。

オバマ政権はさらに、当時はG8サミットだった先進国首脳会議に代わり、中国などの新興国を含む世界二〇か国・地域（G20）の首脳によるG20首脳会議を、地球規模の問題に対処する「主要な枠組み」にしようとした。アジア唯一のサミット参加国として、世界とアジアにおける影響力を誇ってきた日本としては、G20重視は日本の特権的な立場を奪い、地位を低下させる受け入れがたいアイデアだった。

中国を戦略的なパートナーと見なすこうした外交観の中心にいたのが、オバマ氏の外交最側近で、国連大使や国家安全保障担当大統領補佐官を歴任したスーザン・ライス氏だった。ライス氏は、大国同士の外交によって世界秩序が決まると信じ、同盟国である日本よりも中国との「大国関係」の構築を優先していた。日本の外交官が対中認識を共有しようとしても、ほとんど聞く耳を持たなかったという。このため、辛辣な評価を口にする日本の外交官が少なくない。

関与を通じて中国の行動変容を促すというのが、ライス氏らのアプローチだったが、中国と対話していけば、いずれは中国が責任ある大国として振る舞うようになるだろうという甘い見通しに基づいていた。そのうえ、気候変動問題で外交レガシーを作るためにはどうしても中国の協力が必要であり、最初から弱い立場で交渉に臨むことになった。

中国は当時から、東シナ海や南シナ海で覇権主義的な行動を強めていた。米国においても、国家的なサイバー攻撃で機微技術や個人情報を盗んでいた。オバマ政権は抗議の意思を表明することはしたが、本気で中国にこうした行為をやめさせるだけの強制力を使おうとはしなかった。外務省幹部は当時、「オバマの外交には牙がない」と語っていた。

結局、中国側に「米国は自分たちの協力を必要としており、関係を悪化させる覚悟はない」と足元を見られてしまった。習近平国家主席はホワイトハウスで「南シナ海を軍事化しない」と約束したにもかかわらず、埋め立てをやめず、滑走路や軍事関連施設の建設を平然と進めた。

オバマ政権は国防予算も大幅に削減し、インド太平洋地域で中国が軍事的に優位に立つ状況を許した。中国が行動を変えなかった場合、安全保障上、どのような悪影響があるのかについて軽視していたと言わざるを得ない。

「パートナー」から「脅威」への転換

一七年一月に発足したトランプ政権は、「力による平和」を掲げ、国防予算を増やして軍事力の強化を図った。政権発足から一年もたたない同年一二月に策定した国家安全保障戦略では、中露を「米国の力に挑戦する現状変更勢力」と位置づけて強く牽制した。中国については「米国の戦略的な競争国」と定義し、南シナ海の軍事拠点化や、貿易、投資の拡大を通じて「インド太平洋地域で米国に取って代わろうとしている」と批判した。

これを受けて一八年一月に公表された国家防衛戦略は、米国主導の国際秩序の変更を狙う「脅威」として中国とロシアを名指しし、「大国間競争」に向けた軍事力整備の必要性を打ち出した。陸海空、宇宙など、あらゆる領域で米軍の優位性が脅かされつつあると危機意識を示し、「より強力な軍を作る」と訴えた。

トランプ大統領個人の同盟軽視の姿勢や予測不能な対応、単独行動主義などで、トランプ政権の外交には批判が多いが、この二つの戦略文書に書かれた対中認識に関しては、高く評価する外務、防衛両省の関係者が多い。

米国の対中認識の変化を象徴するのは、ポンペオ国務長官が二〇年七月二三日にロサンゼルス近郊のニクソン大統領図書館・博物館で行った演説だ。

ニクソン氏は一九七二年に中国を訪問し、米中国交正常化の道を開いた大統領だ。そのニクソン氏ゆかりの場所で、ポンペオ氏は「中国が自由と民主主義に向けて進化するとした歴代米指導者の理論は結局、正しかったのだろうか」と述べ、米国の伝統的な中国関与政策を失敗と断じた。「我々は中国を歓迎したが、中国共産党は我々の自由で開かれた社会を悪用した。中国は優れた知的財産や企業秘密をだまし取った。ニクソン大統領は中国共産党に世界を開くことで『フランケンシュタイン』を作り出したことを心配していると言ったが、まさにそうなっている」とまで述べた。

「パートナー」から「脅威」へという対中認識の転換は、トランプ政権や共和党だけのものではない。オバマ政権からトランプ政権への政権交代に伴う変化というだけでもなく、より長期に及ぶ米国の対中関与政策を否定するものといえる。

オバマ政権で国務次官補を務めたカート・キャンベル氏が一九年一月一八日付読売新聞朝刊のインタビューで、こうした点を語っている。少し長くなるが概要を引用したい。

この四〇年の米中関係の歴史を注意深く見てみれば、米側には、経済の近代化が時間とともに中国を政治的にも穏健にしていくという見方があった。西側経済と融合していくという中国の願いは軍事化への思いに勝るだろう、台湾のような燃え上がりやすい問題でナショナリスト的な傾向を弱めるようになるだろう、という予測だった。米国はそのために主に経済面で、中国の世界貿易機関（WTO）加盟など様々なことをやった。

しかし、西側の対中政策担当者たちの願望が期待通りに実現することはなかった。中国の運命を決めるのは、中国だけだ。米国でもなければ、世界でもなかった。世界銀行総裁だったロバート・ゼーリック氏は中国について、「責任ある利害関係者」になることを求めたが、中国は、米国が描くアジアにおける世界秩序を実践させようとするのがゼーリック氏の主張だと捉え、反対に、北京によって描かれ、自分たちに有利な制度の下でより大きな役割を果たすことを目指した。特に、習近平国家主席になって中国は、国際政治でどのような役割を果たそうとしているのかについて疑念を生じさせる道を歩んでいる。敵対的な役割を果たしているほどだ。

米国が取ってきた対中政策の全てを否定するわけではないが、中国がどこへ向かうかに関する期待と予想について、我々はより謙虚になるべきだ。

（中略）

――米国はどうアプローチを変えるべきか。

米国はこれまで、中国の将来を変えるにはどうしたらいいかという議論に時間を費やしてきた。私は少し違った議論が必要だと考えている。それはアジアにおける自分たちの能力とアプローチについてより時間をかけるべきで、中国にいかに影響を及ぼすかということにはあまり時間をかけるべきではないというものだ。（中略）

――米中の貿易摩擦はいつまで続くのか。

これが終わることはない。今や米中は新たな時代に突入している。短期的な合意はあるかもしれないが、技術、投資そして貿易に関する問題は米国にとっての最重要事項であり続ける。一つの問題を解決しても、次の問題が出てくるだろう。

――新たな時代とは。

戦略的競争、さらには敵対的行動にすら焦点があたる時代だ。これは封じ込めではない。ソ連と対峙した時とは時代が異なる。中国はより巨大で、多くの国に影響力を持っている。もし我々が米中のどちらかを選べと周辺国に言えば、地域的な事情から、多くの国は米国を選ばないだろう。これらの国々に線を引いたり、壁を築いたりすることはできない。

戦略的競争の時代において、中国は、米国と紛争をせずに競争をしようとしているが、米国は紛争的にして中国に競争をさせないようにしている。トランプ政権は、これがどこまで広がるかを決める始まりでしかない。

対中関与政策の失敗を認め、トランプ政権の対決的な対中アプローチについて、「紛争的にして中国に競争をさせないようにしている」と分析している部分が非常に興味深い。

民主党の外交関係者に加えて、対中認識を大きく変えたのが、米経済界だ。元米通商代表部（USTR）高官は、「対中関与政策の最も強力な擁護者だった経済界が今や、中国との対決姿勢を強めている。共和党に近いウォールストリート（金融街）だけでなく、民主党に近いシリコンバレーも変わったことが象徴的だ」と語る。

IT産業などが集まるシリコンバレーは元来、政府の規制や介入をなくし、市場に任せれば、技術革新などの民間の活力によって経済がうまくいくという考え方が主流だ。ところが今や、シリコンバレーからも、中国の国家資本主義への対抗上、米政府に補助金や規制強化を求める声が強まっているというのである。

例えば、グーグルの元最高経営責任者（ＣＥＯ）のエリック・シュミット氏が委員長を務める「ＡＩに関する国家安全保障委員会」は、「第二次世界大戦後初めて、米国の経済力と軍事力を支える技術的な優位性は危機に瀕している」として、デュアルユース技術の海外流出を防ぐための規制強化を政府に提言している。

バイデン政権での技術覇権争い

では、バイデン政権では、米中対立はどうなっていくのか。特に本書のテーマである技術覇権争いやデカップリングの行方を中心に考えてみたい。

前述したように、バイデン政権にはオバマ政権の元高官が多く入った。このため、基本的な対中認識はオバマ政権時より厳しくなるとしても、気候変動問題で中国の協力を得ようと、「中国排除」の取り組みは控えめになるのではないかという見方があった。

こうした事情から中国側も、「中国の内政に干渉する一方、地球規模の課題では理解や支持を求めるやり方はうまくいかない。米国は中米協力に有利な条件を整えてほしい」（外務省の趙立堅・副報道局長）などと揺さぶりをかけていた。

それでも、米国際政治学者のイアン・ブレマー氏は政権発足前から、「バイデン氏の対中政策は、多くの点でトランプ政権と似たものになる」と語っていた。国際秩序の仕切り役となる指導国がいない状態を「Gゼロ」と名付けて警鐘を鳴らすブレマー氏は、二〇年一一月二九日付読売新聞朝刊のインタビューで、「ツイッターで制裁関税が発表されることはなくなり、気候変動問題などで中国を国際協調に引き込む努力もなされるだろうが、香港や台湾、テクノロジーといった問題では、競争、対立がより激化していく」と断言した。

ブレマー氏はインタビューの中で、その理由を次のように説明している。

世界では今、Gゼロと、米中がテクノロジーで世界を二分する、私が「T2」と呼ぶ新たな力が、不透明な形で共存しています。(中略)T2では中国が勝利しつつあります。米国では、安全保障分野の多くの人々が懸念を強め、テクノロジーを持つ企業を戦略的に扱わなければならないと主張していきます。米国がこれまで軍事産業に対して行ってきたように、予算を投入し、相応に規制をしていくということを意味します。

米政府がもし、テクノロジー企業を戦略的に扱い始め、「テクノロジー冷戦」の方向に進むのであれば、米国と中国のより全面的な冷戦の始まりになり得ます。そうなればGゼロは終わり、世界の新たな無秩序状態が作り出されるでしょう。世界は非常に危険な状態になります。

米中の技術覇権争いは、トランプ政権の一時的なものではなく、今後の国際秩序を左右するほど本質的な問題だというわけだ。

サプライチェーンを再構築

バイデン氏は就任から約半月後の二一年二月四日、国務省を訪れて初の外交演説を行った。この中で対中政策について、「中国の経済的な不正行為に立ち向かう」と強調した。

続いて二月二四日には、半導体など重要製品のサプライチェーンを再構築するように命じる大統領令に署名した。バイデン氏は記者団に、「緊急事態の際に国民を守るために、価値観を共有していない国に頼るべきではない」「サプライチェーンを我々に対する手段として使うことができないようにする」と語った。

大統領令では、パンデミック等の生物学的脅威のほか、サイバー攻撃、テロ、異常気象、地政学的・経済的競争などを挙げて、「強靱で、多様で、安全なサプライチェーン」が必要だと指摘した。新型コロナ後の混乱によってマスクなどが不足し、半導体も供給不足が生じていることを教訓に、中国に依存しない供給網を作るためだ。

そのうえで、①半導体　②医薬品　③レアアースなどの鉱物　④電気自動車（ＥＶ）向けなどの大容量電池――の四品目については、一〇〇日以内に供給網の問題点を検証するよう関係機関に求めた。防衛、公衆衛生・生物災害危機管理、情報通信技術、エネルギー、輸送産業、農作物・食料などについては、政権発足から一年以内の検証を指示した。あらゆるサプライチェーンのリスクを洗い出そうとする意図がうかがえる。

「『一本の釘がないせいで、蹄鉄がなくなった。蹄鉄がないせいで、馬がだめになった』。そして同じことが王国が失われるまで続いた。全ては馬蹄の釘が一本なかったためだ。サプライチェーンのわずかな不足が甚大な影響を及ぼす」

バイデン氏は大統領令の署名に合わせ行った演説でこんなことわざを持ち出すと、切手よりも小さな半導体チップを右手の親指と人さし指でつまんで掲げ、「これが二一世紀の馬蹄の釘だ」と強調した。

トランプ政権と異なっていたのは、バイデン氏がサプライチェーンの再構築について、「我々の信頼できる友人、パートナー、我々の価値観を共有している国々と緊密に連携して取り組む」と述べ、民主主義国と手を携えていく考えを強調した点だろう。

米民間調査会社「ICインサイツ」によると、一九年一二月時点の世界の半導体生産のシェアは、台湾が二一・六%、韓国が二〇・九%、日本が一六・〇%、中国が一三・九%だ。北米は一二・八%にとどまる。

中国は「中国製造二〇二五」で、二五年までに半導体の国産比率を七〇%に高める目標を掲げている。五兆円を超える「国家集積回路産業投資基金」を設置して半導体関連の投資を強化しており、近く、世界トップに躍り出るとみられている。

半導体産業ではかつて、日本企業が世界を席巻したが、日米貿易摩擦が強まった一九八〇年代後半以降、日本は米政府の強い圧力を受け、失速した。日本製DRAM（記憶保持動作が必要な随時書き込み読み出しメモリー）などについて、米企業よりも安く売ることを事実上禁じる内容の公正市場価格制度をのまされたのである。価格競争で不利になった日本の半導体は、韓国サムスン電子にシェアを奪われ、衰退した。

日米関係に長年携わった元日本政府高官は、「米政府は中国に対しても、当時の日本にしたのと同様に厳しい姿勢で臨んでいる」と見る。

商務省は一八年、中国の半導体メーカー「福建省晋華集成電路」をエンティティ・リストに追加し、米国の部品、技術の輸出を事実上禁止した。米国が半導体装置の輸出を止めても、その抜けた穴に日本企業が進出してしまっては元も子もない。経済産業省関係者は「米商務省から、歩調を合わせるよう水面下で圧力があった」と証言する。要請を拒めば、利敵行為と見なされて制裁をかけられかねない恐怖を感じたという。

前述したように、二〇年九月には、米国の技術を使う国外メーカーからファーウェイへの半導体供給を原則として禁止する方針を明らかにした。同年一二月には、中国の半導体受託製造大手「中芯国際集成電路製造」を中国軍に関連があるとして、同リストに追加すると発表した。

最先端半導体の製造技術をめぐる最も大胆な臆測は、世界最大手の台湾・ＴＳＭＣを手に入れようとすることが、中国にとって台湾有事に踏み切る要因になりかねない、というものだろう。内閣官房の高官は、「米政府には、台湾を中国に取られると、中国が世界の半導体を牛耳ることになるという危機感がある」と語る。

　バイデン政権は二一年四月九日、国務省が米台当局者間の交流に関する新指針を策定。新指針自体は非公表だが、米台の当局者が米政府機関の建物内や台湾の対外窓口である台北経済文化代表処で会合を行うことを認め、従来の制限を緩和するものだ。ネッド・プライス報道官は声明を出し、台湾を「安全保障と経済の重要なパートナー」と呼んだうえで、新指針の策定は「米政府による台湾への関与を促進するもので、台湾との関係深化を反映している」と強調した。

　サプライチェーン再構築のうち医薬品に関し、バイデン氏は、新型コロナの感染拡大後に起きたマスクなどの医療物資不足に触れ、「二度と起こしてはならない」と強調した。

　レアアースは生産の多くを中国が占める。電気自動車向けの車載用電池も、国別シェアでは中国が四〇％と最大だ。ニッケルやリチウムといった原材料となる希少金属も多く保有している。

　電気自動車向けの車載用電池は、バイデン政権が最優先課題として取り組む地球温暖化対策や、経済再生のカギとするグリーン成長とも関連している。バイデン氏は二一年一月二〇日、温暖化対策の国際的枠組み「パリ協定」への復帰に向けた手続きの開始を命じる大統領令に署名した。具体策の柱は、電気自動車の普及だ。充電施設を全米五〇万か所に設置したり、三〇〇万台に上る公用車で導入を進めたりする。

菅首相も二〇五〇年の温室効果ガス排出量の実質ゼロに向けた「グリーン成長戦略」で、二〇三〇年代半ばまでに乗用車の新車販売を一〇〇％、電気自動車などの電動車とする方針を打ち出している。

新興技術は「同盟で守る」

バイデン政権は二一年三月三日、外交、軍事、経済政策の基本方針となる国家安全保障戦略の策定に向けた暫定指針を公表した。この中でも、「我々は、自身の安全保障、経済競争力と価値観を高めるため、新興技術のスタンダードを作る」「決定的に重要な国家安全保障に関するテクノロジーと医療関連物資のサプライチェーンの安全を確保する」と明記した。

アントニー・ブリンケン国務長官は指針の発表に合わせた外交演説で、「テクノロジーにおけるリーダーの地位を守る」ことを八つの最優先外交政策の一つに含め、「友人、パートナーたちと一緒に、新興技術の不正利用に対するガードレールを確立する」と宣言した。

ジェイク・サリバン国家安全保障担当大統領補佐官も三月九日、「AIに関する国家安全保障委員会」のメンバーと会談した後、「米国と同盟国は引き続き、AI、マイクロエレクトロニクス、バイオ技術やその他の新興技術の分野をリードしなければならない」とツイートした。

バイデン政権は、日本時間の三月一二日深夜、日米豪印四か国の枠組み「QUAD(クアッド)」の初の首脳会談をオンラインで開いた。QUADとは英語で「四つ」を意味する。あまり注目されなかったが、この会談の成果の一つが、四か国による「重要・新興技術作業部会」の創設だ。会談後に発表されたファクトシートは、「日米豪印の首脳は、自由で開かれた、包摂的で強靱なインド太平洋には、重要・新興技術が共通の利益と価値観に従って管理し運用されることが必要であることを認識している」とし、次の取り組みを作業部会の下で実施するとした。

・技術の設計、開発及び利用に関する原則に係る声明を策定すること
・各国の技術標準機関間のものや幅広いパートナーとの連携を含め、技術標準の策定に係る協調を円滑化すること
・各国の民間部門・産業界との緊密な協力を通じたものを含め、電気通信の展開、機器の供給者の多様化及び将来の電気通信に係る協力を促進すること
・バイオ技術を含む重要・新興技術の開発に関連する動向及び機会をモニターするための協力を円滑化すること
・重要技術サプライチェーンに関する対話を実施すること

まだ詳細が明らかになっていないが、ここまで本書で論じてきたような新興・機微技術の保護について、四か国で国際的な原則や技術標準を策定し、監視を強化するとともに、サプライチェーンを再構築しようという意欲的な構想と言えそうだ。

同様の取り組みは、米欧間でも始まっている。バイデン大統領は六月一五日、ブリュッセルで欧州連合（EU）の執行機関・欧州委員会のウルズラ・フォンデアライエン委員長らと会談し、先端技術をテーマとする「通商・技術理事会」の創設を決めた。ＡＩ

やバイオテクノロジーなど、先端技術に関わる国際ルールと規格、技術流出を防ぐ仕組みなどについて話し合うという。

バイデン政権は輸出管理でも、トランプ政権が始めた対中締め付け路線を継承した。商務省は四月八日、中国のスーパーコンピューター関連の七企業・団体について輸出を規制するエンティティ・リストに追加した。ジーナ・レモンド商務長官は声明で、「スーパーコンピューター技術は、核兵器や極超音速滑空兵器のような先端兵器・システムの開発に不可欠なものだ。米国の技術を利用した中国の軍事的近代化の取り組みを防ぐ」と強調した。

こうしたバイデン政権の対中政策を推進しているのは、先ほど紹介したインタビューで歴代米政権の関与政策の失敗を率直に指摘していたカート・キャンベル氏である。バイデン政権では、国家安全保障会議の中でインド太平洋調整官を務めている。

キャンベル氏は二一年一月の米外交専門誌「フォーリン・アフェアーズ」で、「管理されたデカップリング」という言葉を使い、トランプ政権のように米国が思いつきで動くのではなく、民主主義諸国と連携してデカップリングに動く考えを強調していた。

三月のクアッドでは、インド太平洋の途上国などへの新型コロナのワクチン配布を日米豪印が協力して支援することで合意した。中国のワクチン外交を意識したものだが、米国が単独で中国に対抗するのではなく、同盟国、パートナー国と組んで効果的に実施しようという点が、トランプ時代と大きく異なるバイデン流の真骨頂と言えよう。

「本当に厳しい競争になる」

こうしてみると、「バイデン氏の対中政策は、多くの点でトランプ政権と似たものになる」と語ったブレマー氏の予想は的を射ていたようだ。

さらに言えば、バイデン政権は、技術覇権争いが民主主義勢力と専制主義勢力のより大きな「体制をめぐる争い」に直結していると捉えているようにみえる。

三月に公表された国家安全保障戦略の策定に向けた暫定指針の本文は、こう始まる。

今日、米国の運命はかつてないほど、海の向こうの国の出来事と密接に結びついている。（中略）我々はナショナリズムの台頭、民主主義の衰退、中国、ロシアや他の専制主義国家との拡大するライバル関係、そして我々の生活のあらゆる側面に変化を強いるテクノロジーの革新に直面している。現代は、先例のない挑戦の時代であり、また比類なき機会の時代でもある。

暫定指針はこうした認識の下、中国について、「経済、外交、軍事、先端技術の力を結集し、安定的で開かれた国際システムに継続的に挑戦する能力がある唯一の競争相手だ」と指摘。中国が自分たちの専制主義的な統治モデルが民主主義よりも優れているると主張しようとしているとし、米国の民主主義を再生し、そのうえで同盟国、パートナー国と協調して世界の民主主義の再生にも取り組む方針を示した。

このようなバイデン政権の国家戦略を理解したうえで、改めてサプライチェーン見直しの大統領令や、日米豪印のクアッドでの合意を振り返ると、中国との体制をめぐる争いに乗り出そうとしているバイデン政権の狙いが浮き彫りになってくる。

中国は米国主導の民主主義的秩序に挑戦するライバルであり、先端技術をその争いの極めて重要な要素に位置づけているのである。

サリバン大統領補佐官は、クアッド首脳会談後の記者会見で、「大統領と首脳たちは、独裁政治と民主主義のどちらが優れているかという競争についても話した」と語った。そのうえで、「その不完全さにもかかわらず、首脳たちは、民主主義が人々にとってべストな体制であり、二一世紀における経済的、社会的そして技術的な挑戦に応えることができると自信を示した」と強調した。

バイデン氏の対中姿勢がより明確になったのが、三月二五日にホワイトハウスで行った就任後初の記者会見だ。

バイデン氏は、習近平国家主席について「彼は民主主義的な意識を持っていない。彼は専制主義が将来、主流となり、かつてなく複雑な世界において民主主義は機能しないと考えている」と厳しい評価を口にした。続いて、対中関係について、「我々は対決を望んではいないが、厳しい、本当に厳しい競争になることは理解している」との認識を示した。

そのうえで、中国への対策として、①米国の労働者や科学技術への投資を増やす ②同盟を再確立する ③中国で起きている人権侵害に世界の注意を喚起し続ける――の三点に米国が取り組んでいく意向を強調した。科学技術への投資を真っ先に挙げたことが、体制争いと技術覇権争いが直結しているという認識を持っている証左と言っていいだろう。

バイデン氏はこの中で、GDPの〇・七%にとどまっている基礎研究や科学技術への投資を、一九六〇年代並みの二％に近づけると宣言した。具体的には、医療研究、ＡＩ、量子コンピューター、バイオなどの分野に投資を増やすとした。

そして、中国が「世界を主導する国、世界で最も豊かな国、そして世界で最も強力な国」になる目標を持っているとしたうえで、「私の目の黒いうちは、そんなことにはならない。米国が成長し、拡大し続けるからだ」と対抗する決意を示した。

バイデン氏は、米中関係をこう総括した。

「これは二一世紀における民主主義と専制主義の有用性をめぐる闘いだ」

アンカレジの直接対決

こうしたバイデン政権の姿勢に、中国は強く反発した。二一年三月一八日、米国のブリンケン国務長官、サリバン大統領補佐官と、中国の楊潔篪（ようけつち）・共産党政治局員、王毅・国務委員兼外相という米中の外交担当トップが米アラスカ州アンカレジで、バイデン政権発足後初めての米中高官の対面での会談に臨んだ。この会談の冒頭、両陣営はメディアが見ている前で一時間余りにわたり、体制争いをめぐる異例の公開舌戦を繰り広げた。

口火を切ったのは、最初に発言したブリンケン氏だ。

「我々の政権は、米国の国益を拡大し、ルールに基づく国際秩序を強化するための外交を進めると決意している」

「ルールに基づく国際秩序は、各国が意見の相違を平和的に解決したり、多国間の取り組みを効果的に調整したり、誰もが同じルールにのっとっていると確信を持ってグローバルな商取引に参加したりするのに役立つ。それに取って代わろうとするものは、力こそが正義で勝者が総取りするような世界で、それは我々全員にとってはるかに暴力的で不安定な世界となるだろう」

こうしたブリンケン氏の発言に対し、楊氏は一五分余りにもわたる大演説を行い、次のように反論した。

「中国と国際社会が従い、支持しているのは、国連を中心とする国際システムと国際法に裏付けられた国際秩序であり、一部の国が提唱するいわゆる『ルールに基づく』国際秩序ではない。米国には米国式の民主主義があり、中国には中国式の民主主義がある」

「我々は、米国が自らの印象を変え、自国流の民主主義を他国に押しつけるのをやめることが重要だと考える。（中略）中国の社会システムを中傷しようとする試みは全くの無駄になる。そのような行為があっても、中国の人々はいっそう中国共産党のもとに集い、我々の目標達成が近づくだけであることは、事実が示してきた通りだ」

「米国や西側諸国は国際世論を代表していない。人口規模であれ、世界の潮流であれ、西側諸国は国際世論を代表していない。（中略）世界の圧倒的多数の国々は、米国が提唱する普遍的な価値観や米国の意見が国際世論を代表しているとは認識していないだろう」

楊氏はほとんど紙も見ずにこのように熱弁をふるった。

トランプ政権に対しては、中国の報道官らが口汚い言葉で批判していたが、中国が米高官を前にして直接、これほど明確に米国の民主主義や国際的な地位を否定し、侮辱するのは極めて珍しい。

これにはブリンケン氏が予定になかった二度目の発言を求め、次のように反論した。

「私は世界中の一〇〇近い国のカウンターパートと話したが、私が耳にしたのはあなたが述べたことと全く異なっている。私が耳にしたのは、米国が同盟国やパートナーたちと再び連携すること、つまり米国が戻ってきたことへの歓迎だ。そして、あなたたちの政府がやってきたいくつかの行動に関する深刻な懸念も聞いている」

「バイデン大統領が副大統領として中国を訪れた時のことをよく覚えている。金融危機の直後であり、当時は国家副主席だった習近平氏との会談を含めて多くの議論があった。バイデン氏はその時、米国が負ける方に賭けるのは絶対によくないと言った。それは今なお正しい」

サリバン氏も「自信を持った国は、自身の欠点をよく見て絶えず改善することができる。それが米国の秘訣だ。もう一つの米国の秘訣は、米国民が自ら問題を解決しようとする国民であり、世界中の同盟国やパートナーとともに取り組むことで問題を最もうまく解決できると信じていることだ」と補足した。

これに対し、楊氏も再び発言を要求し、「米国は中国に対して上から目線で話す資格はない。（中略）もし米国が適切に中国側と交渉したいのならば、必要な儀礼に従って正しいことをすべきだ」と述べて、米側の姿勢を改めて批判した。

楊氏の対応について、日本のある中国専門家は、「米国に厳しいことを言われておとなしくしていたら中国国内で批判されるので、強気に言い返す姿をあえて見せたのだろう」と語り、国内向けのパフォーマンスだったと指摘する。中国国内では、楊氏の「中国人はその手は食わない。アメリカは中国に上から目線で話す資格はない」という発言が好感をもって受け入れられ、発言をそのままプリントしたTシャツまで販売されているという。

国内向けの面があったにしろ、中国にとって、もはや米国はおびえる対象ではなくなっているということも言えるのではないか。

実際、「世界の圧倒的多数の国々は、米国が提唱する普遍的な価値観や米国の意見が国際世論を代表しているとは認識していないだろう」という楊氏の発言を、「ただの強がりだ」と笑って済ませられない現実がある。

香港国家安全維持法を「理解」する国が多数派

谷内(やち)正太郎・元国家安全保障局長は二一年三月二三日に開かれた安全保障シンポジウム(NPO法人ネットジャーナリスト協会主催、読売新聞社後援)での基調講演で、国際社会の課題について「権威主義的な政治体制がいいのか、あるいは、自由民主主義体制がいいのか」が問われている状況にあるとして、こう説明している。

「(新型)コロナ対応では、権威主義的対応のほうが良いのではないか、という議論は結構あるわけだ。また、香港に対する中国の国家安全維持法が新しくできて、もはや『一国二制度』というのは死語になってしまったのではないかといわれているが、香港国家安全維持法がいいのかどうかということについて、去年の六月に国連人権理事会で議論があった。それで、私にはかなりショッキングだったが、中国のあのやり方はよくない、という国々は二七か国。一方、中国のああいうものについて、理解ないし支持すると見解を表明した国は五三か国。理解する方が多い、こういう状況がある。それから、スウェーデンのある調査機関の調査によると、世界で民主主義国と言えるのは八七。非民主主義国は九二。ということで、権威主義的政治体制がいいのか、自由民主主義体制がいいのか、というものは、現実的な問いかけになっている。これがコロナの影響下で起きている問題だ」

第五章　「安保は米国、経済は中国」では許されない

日本はどう対処すべきか

本書の締めくくりとして、米中対立のはざまに置かれている日本はどう対処すべきかを考えたい。これまで見てきたように、軍事転用可能な機微技術の窃取や、経済行為を通じた威圧、情報収集など、中国の不正な活動による脅威は現在進行形で存在している。そうした中、今後の世界は、米国が主導する民主主義同盟と中国が重要・新興技術をめぐり覇権を争う「テクノロジー冷戦」の方向に向かう可能性が高まっており、技術を保護したり、サプライチェーンの安全性を確保したりする重要性が増している。米国と同盟を組む日本は、こうした認識をしっかり持っておかないと、両国との関係で後々大変なことになりかねない。

先端技術の保護や安全なサプライチェーン確保の取り組みは、「経済安全保障」と呼

ばれる政策の中核だ。公安調査庁が二一年四月に出した「経済安全保障の確保に向けて～技術・データの流出防止～」というパンフレットは、経済安保について次のように説明している。

「国際社会の中で国家安全保障を確保するカギとして、経済上の手段を用いる動きが先鋭化しています。各国は、自国の優位性を確保するために機微な技術・データ・製品等の獲得に向けた動きを活発化させており、例えば、適正な活動を装って標的となる企業や大学等に接近し、目的を達成する事案等が発生しています。各国は一方で、こうした活動から国益を守るために規制や取締りを強化しており、これらの動きをまとめて『経済安全保障』と呼ぶことがあります」

同パンフはそのうえで、「技術・データの流出」に焦点を当て、七つのルートについて注意を喚起している。

第一のルートは、高額な年収などで優秀な技術を持つ人材を引き抜く「人材リクルート」だ。現役の人材だけでなく、退職後に外国から声がかかることもある。中国の千人計画が、このカテゴリーの代表例であることは言うまでもない。

第二のルートは、「投資・買収・合併」である。重要技術を持つ企業の株式を外国資本が取得し、経営に影響を与えたり、外国人役員などが技術情報にアクセスし、不正に海外に移転したりする事例が懸念される。

第三のルートは、「共同研究・事業」を通じた技術・データの持ち出しだ。経済安保の意識が低いと、知らないうちに重要技術が抜き取られてしまう恐れがある。

「留学生・研究者」などを送り込んで、技術を学ばせる手法も広く行われている。研究の国際化は日本にとって有益な面も多いが、中国はそうした研究文化を悪用し、軍や兵器開発を担う大学・研究機関などに所属する研究者を、軍との関連性を隠して、軍事転用可能な技術を持つ日本や欧米の大学、研究室などに送り込むことを組織的に実施している。実際、米国などで訴追される事例が相次いでいる。これが第四のルートだ。

第五は、国際会議や展示会などに出席した日本の研究者や技術者が、技術を狙う外国勢力から個別に接触を受け、技術を狙われるケースだ。同パンフは、「不審なアプローチ」と呼んでいる。

第六は、「サイバー攻撃」だ。中国軍は、サイバー攻撃部隊に約三万人を配置しているとされる。日本の企業、研究機関もたびたびサイバー攻撃に遭っており、サイバー防衛能力の強化が不可欠だ。

そして最後の第七が、「物資の輸出」である。技術のデュアルユース化が進む中、これまでの輸出規制では追いつかなくなっている現実がある。パンフでは、軍事用であるのに民間向けだと用途を偽ったり、輸出先がペーパーカンパニーだったりするケースに注意を呼びかけている。

政府は、ここで挙げたルートを通じた技術・データの流出防止に努めていかなければならない。

政府が中国に対する経済安保の重要性を初めて認識したのは、一八年後半だ。当時、国家安全保障局次長を務めていた兼原信克・同志社大特別客員教授は二〇年五月二〇日付読売新聞朝刊のインタビューで、「最初のきっかけは、経済産業省の幹部が、米国の先端技術の輸出規制強化に日本も対応する必要があると声を上げたことだ」と振り返っている。

経産省の貿易管理を担当する部署は一九八七年、東芝の子会社で大型工作機械メーカーの「東芝機械」が、対共産圏輸出統制委員会（ココム）に違反して原子力潜水艦スクリューも製造できる船舶用プロペラ工作機械とその制御用プログラムをソ連に輸出していた「東芝機械ココム違反事件」で、米国を激怒させた際、矢面に立った。米国の下院議員らが議会前庭で東芝製ラジカセをハンマーで打ち壊すデモンストレーションを行ったニュース映像を覚えている読者もいるかもしれない。

声を上げた経産省幹部も、こうした経験から米国の動向に敏感だった、と兼原氏は指摘する。そこから、国家安全保障会議（NSC）の事務局である国家安全保障局（NSS）を中心に様々な検討が始まったという。

経産省はまず、外国為替及び外国貿易法（外為法）の投資規制を米国に合わせて厳しくする必要があると主張した。「業法」と呼ばれる各業界を規制する法律に安全保障を理由に活動を制限する規定はなく、重要な技術を持つ日本企業が外国勢力に買収されるのを阻止できるのは、外為法だけだった。当時、外国企業が日本の上場企業の株を「一〇％以上」保有する場合には、事前届け出が必要だったが、この基準では対象はわずかだった。そこで経産省は、事前届け出の基準を「一％以上」に引き下げ、監視対象を拡大しようとした。

「経済安保」意識の低い経済官庁

国家安全保障局もその方向で動いたが、簡単には進まなかった。兼原氏はインタビューの中で、省庁の縦割りにより、経済を所管する官僚たちに安全保障の意識がほとんどなかったことが障害になったことを、次のように明らかにしている。

「中国などの外国企業が買収によって、合法的に先進機微技術を取得することが可能だった。しかし、投資規制を所管するのは財務省だ。財務省は、所管外の様々な業界が持つどの技術が安全保障上危ないのか、判断できる部署を持っていなかった。通信ネットワークを所管する総務省、医薬品を所管する厚生労働省などにも協力を呼びかけたが、政府全体の司令塔を欠いており、誰も責任を取れない状況だった」

「その当時も外国の企業などが日本企業の株式を『一〇％以上』取得しようとする場合、各省庁に報告書が回っていた。だが、経産省を除き、どこの省庁も安全保障上の観点から所管業界の技術をチェックしているとは言えなかった」

「この問題に対応するには、経済官庁の出身者が少ない当時のＮＳＣの体制は不十分だった。そこで、同じ内閣官房の副長官補室に協力してもらい、経済官庁を集めてきちんとチェックをするように要請した。こうした過程で、ＮＳＣの中に、安全保障の観点から経済政策をまとめて見る経済班が必要だという議論が進んだ」

外資の投資規制強化はその後、一九年一一月に改正外為法の成立（二〇年五月施行）という形で日の目を見た。国の安全保障にとって重要な企業に海外投資家が出資する場合の事前届け出基準を「発行済み株式か議決権の一〇％以上」から「一％以上」に変更した。

ただ、米国の対米外国投資委員会・シフィウスが業種や出資額に制限なく、過去の買収まで遡って命令を出す強大な権限があるのに対し、改正外為法の規定は、事後に株式売却命令を出せるのは指定業種に限られていた。そのうえ、事前届け出には免除基準も設けられた。①外国投資家自らやその関係者が役員に就任しない　②指定業種の事業の譲渡・廃止を株主総会に提案しない　③指定業種の事業に係る非公開の技術情報にアクセスしない――という三条件を満たした場合には、指定業種であっても事前の届け出が免除された。純粋な投資が目的の銀行や証券、ファンドなどが日本への投資を敬遠しないように配慮したものだった。

上場企業三八〇〇社のうち、武器や航空機、原子力、宇宙関連、サイバーセキュリティー関連など一二分野の五一八社が、安全保障上の重要性が高く、特に重点的な審査を行う「コア業種」に指定された。

二〇年の春、新型コロナウイルス感染症の治療効果があるとして、新型インフルエンザ治療薬「アビガン」への注目が高まった。政府は、原料を生産できる国内企業を血眼になって探した結果、新潟県内の化学メーカー「デンカ」がかつてアビガンの原料を生産していたことが判明し、停止していた工場を再開させてアビガン生産に道筋をつけた。

ところが、デンカはコア業種に含まれておらず、外国勢力に買収される危険があった。政府は急遽、施行されたばかりの新たな外為法の政令を改正し、デンカを守れるように医薬品や医療機器業界をコア業種に追加指定した。この政令改正で、感染症の治療薬やワクチンのほか、人工心肺、ペースメーカー、人工呼吸器、人工透析器などの技術流出も食い止めた。

ただ、コア業種でも、外国金融機関の場合には前述の三条件を満たすこと、一般投資家の場合には①取締役会または重要な意思決定権限を有する委員会に自ら参加しない②取締役会等に期限を付して回答・行動を求めて書面で提案を行わない――という上乗せ基準に抵触しないことを条件に、一〇%未満の株式取得については事前の届け出免除が認められていた。外国投資家が日本への投資をやめることがないように、財務省が画策したとみられている。だが後述するように、この免除基準により、日本の投資規制の甘さが最悪のタイミングで露呈することになる。

国家安保局「経済班」が発足

政府は二〇年四月一日、国家安全保障局に経済安全保障政策の司令塔となる「経済班」を設置した。経済分野の国家安全保障上の課題について、約二〇人体制で、政策の企画立案や関係省庁の総合調整を担う。具体的には、外国企業による買収・投資の審査のほか、国内の大学や研究機関が持つ軍事転用可能な先端技術の保護・育成、次世代通信規格「5G」を巡る国際的な主導権争いなどに対応するとした。

米中の技術覇権争いが激化する中、米国と協調して経済安保政策を強化する狙いがあった。

一四年一月に発足した国家安全保障局に新たな班が設けられるのは初めてだった。既存の地域別の「政策班」や「戦略企画班」「情報班」などと合わせ、七班体制となった。経済班のトップには、経産省出身の藤井敏彦内閣審議官が就いた。課長級の内閣参事官ポストは四人で、総務、外務、財務、警察各省庁の出身者を起用した。

「安全保障と経済を横断する領域で課題は山積している。我が国の安全保障政策の節目だ」

四月六日、首相官邸の会議室で開かれた経済班の発足式で、菅官房長官はこう檄を飛ばした。

「安保マインドの保持・共有」「経済系と安保系の混在」

政府が一九年秋に取りまとめた経済班の基本概念に関する資料には、安保と経済の融合を強調する言葉が並ぶ。それは、経済安保の意識が低かったことの裏返しとも言える。日本で経済安保の意識が高まらなかったのは、戦後、安全保障と産業・科学技術政策が切り離され、各省庁が縦割りで政策を進めてきたのが一因だ。科学技術を文部科学省や内閣府、産業育成を経産省、情報通信を総務省が別々に担い、安全保障を担当する外務、防衛両省との調整は不十分だった。

経済班は、サイバー、科学技術、国際経済などの専門知識を有するスタッフ三〇人以上を擁する米国家安全保障会議（ＮＳＣ）の通商・産業政策部門などがモデルとされ、省庁縦割りの打破を目指す。

「待っていたよ。ようやく日本に話ができる相手ができた」

経済班設置準備室発足後の一九年暮れ、藤井氏がワシントンを訪れると、米NSC高官からこう歓迎された。

「これまでは外務省と経産省で言っていることが違った。一体どこが経済安保の担当なのかわからなかった」

藤井氏と面会したホワイトハウスや米シンクタンクの関係者からは、こんな指摘が相次いだ。経済安保の窓口の一本化で、「日米連携の幅が広がる」(政府関係者)と期待された。

こうした日本の動きに、中国は神経をとがらせた。

「特定の国を念頭に置いたものなのか」

二〇年二月下旬、来日した中国外交トップの楊潔篪・共産党政治局員は日本側に、経済班設置についてこう疑念を投げかけたという。ファーウェイの排除を進める米政府と歩調を合わせるための組織ではないかという警戒感をにじませたものだ。

米中が対立する中、安倍晋三首相は双方と関係を築くことに腐心し、国際社会で存在感を発揮してきた。トランプ大統領との親密な関係を維持する一方、一八年一〇月には日本の首相として七年ぶりに中国を公式訪問した。また一九年には、習近平国家主席を二〇年春に国賓として日本に迎えることで合意した（新型コロナウイルスの感染拡大で延期に）。

導入された「新興・重要技術」流出対策

経済班には当初、経済安全保障の国家戦略の早期策定が期待されていた。中国の軍民融合や、経済行為を通じた情報窃取、威圧などにより、これまでの輸出管理に関する規制では十分な対応ができなくなっているのは明らかで、新たな現実に対処するには、経済安保戦略が必要だった。だが、政府・与党は中国とどう向き合うか腰が定まっておらず、検討は遅れている。経済班も新型コロナウイルス対策に時間を取られ、推進役になりきれていない。このため、経済班や関係省庁は、実行可能なものから五月雨式に対策に取り組んでいる。

政府がまず手を付けたのが、読売新聞の報道などで問題視する声が強まった中国の千人計画による新興・重要技術流出への対策だった。二〇年九月に始まった二一年度分の科研費の公募要領には、国外からのものを含め、全ての研究資金の受け入れ状況を記入することが明記された。米国の規制強化などを参考に、公的研究費の透明化を徹底させる対策にようやく取り組み始めたのだ。

さらに、政府は同月、内閣府の委託研究の一環として、有識者による「研究インテグリティに関する検討会」を設置し、より包括的な対策の検討を始めた。対象としたのは、国の「競争的研究費制度」に基づく助成だ。二〇年度予算で九府省が計一二七件、約七二〇〇億円を計上している。最大は科研費の約二三〇〇億円だ。検討会は二一年三月一九日、研究資金の透明化に関する報告書を取りまとめ、政府や学術界に必要な措置を提言した。

報告書は、外国の不当な介入に伴うリスクについて、代表的な四つの例を紹介している。

①日本の大学に勤務する研究者Aは、外国政府の人材登用プログラムに参加し、外国の大学に日本と同じ研究分野のポストを有していたが、日本の助成金に応募する際にその情報を開示しておらず、利益相反・責務相反が適切に管理されていないことが明らかとなった。

②日本の大学に勤務する研究者Cは、新たに外国の人材登用プログラムに参加し、そ

の契約の下で外国機関から助成金を受けとることになった。外国機関から、その見返りとして研究情報を渡すよう指示され、Cは日本の助成金で行っている研究のデータを外国機関に送付した。

③日本のQ研究室は、日本の企業や、大学発のベンチャー企業と共同研究を行っている。Q研究室は知らなかったが、これらの企業は外国機関と連携をしておりQ研究室の知らないところで研究情報を外国機関に流出させていた。

④日本の大学のO研究室の教授は外国政府の人材登用プログラムに参加しており、契約で、その外国からの留学生を毎年受け入れるよう要求されているが、O研究室で研究を行った留学生の帰国により、研究成果がその外国のものとなるおそれがあり、公的資金を出している国の研究成果のオーナーシップが曖昧になっている。

①、②、④の例はまさしく、千人計画への参加が研究不正につながる事例だ。

③については、ファーウェイが米国の多くの大学に共同研究を呼びかけ、技術を得ようとしていたことが該当する。実は、ファーウェイは日本でも複数の大学に資金を提供し、共同研究を行っていた。一例を紹介する。

東北大学のキャンパス内で一六年一月、ファーウェイとの共同研究を呼びかけるセミナーが開かれた。しばらくして、ファーウェイ側が研究資金を出し、電池などに関する五件ほどの共同研究が始まった。それぞれ数百万円の小規模な研究だったが、次第に関係者の間でこんなうわさがささやかれるようになった。

「共同研究をつなぎ合わせると、一台のスマートフォンができそうだ」

この話を聞きつけた経産省は、すぐに東北大に「懸念」を伝えた。この頃、米国ではファーウェイがハイテク技術や情報を窃取している疑惑があるとして、問題になり始めていた。東北大では、これらの共同研究のほぼ全てを一年で終了した。

米国の大学は、ファーウェイを含め国外から寄付や契約で二五万ドル（約二六七〇万円）を超える資金を受け入れた場合、政府に報告する義務がある。米政府がファーウェイへの警戒を強めて以降、スタンフォード大やミネソタ大など、ファーウェイとの共同研究や寄付受領を停止する大学が相次いだ。

だが、日本には二〇年時点で、こうした報告制度はなかった。ファーウェイは一五年ごろから、全国各地の大学への接近を強めており、経産省幹部は「どれだけの大学がファーウェイから資金を受け入れたのか正確には把握していないが、共同研究を行ったり、寄付を受け取ったりしている大学は複数あった」と打ち明ける。

政府は、大学向けに注意事項や「チェックリスト」を公表している。しかし、この問題を担当する内閣官房の高官は「大学への『お願いベース』の域を出ない」と嘆息する。

④の留学生を通じて技術や情報が流出する懸念については、第三章で触れた通りだ。検討会の報告書が想定した事例は、空想のものではなく、既に現実に起こっているのである。

こうしたリスクに対し、報告書は、研究者個人、政府や公的研究資金の配分機関、大学などに分けて、取るべき対策を提言した。

研究者個人に対しては、兼業や共同研究などを行う際、研究内容や相手の情報、資金供与や施設・設備の支援の有無などを所属する大学・研究機関に申告するとともに、公的研究資金の申請時にも隠さずに開示するよう求めた。

大学・研究機関には、千人計画などの外国の人材登用プログラムへの参加を含め、研究活動を管理し、その適切性を確保する体制を整えるべきだとした。研究者に対して適切な申告を促す研修などの実施も勧告した。

そして政府に対しては、研究費の助成に関する指針を改定するなどして情報開示のルールを明確にし、大学・研究機関および研究者の理解を促すことを提言した。その際、海外のものも含め、「補助金や助成金、共同研究費、受託研究費等、全ての研究資金の応募・受入れ状況に関する情報や、全ての所属組織・役職（兼業や、外国の人材登用プログラムへの参加、雇用契約のない名誉教授等を含む）」について、研究者の開示対象とするよう求めた。

日本学術振興会や科学技術振興機構など研究費を配分する団体に対しては、応募書類に事実と異なる記載が確認された場合には、助成の取り消しや助成応募を最長五年間、制限するなどの措置をとることを要請した。

日本政府や学術界はこれまで、捏造や盗用などの研究不正には規制を強化してきたが、軍事転用のリスクについては取り組みが遅れていた。

井上信治科学技術相は報告書が発表された三月一九日の記者会見で、「独創的な研究と安全保障の確保を両立させるため、施策の具現化を図っていく」と述べた。

政府はこれを受け、四月二七日の統合イノベーション戦略推進会議で、「研究活動の国際化、オープン化に伴う新たなリスクに対する研究インテグリティの確保に係る対応方針について」を決定し、提言通りの措置を行っていく方針を明らかにした。二一年中のできるだけ早期に「競争的資金の適正な執行に関する指針」を改正するという。

二一年六月一〇日には、経産相の諮問機関である産業構造審議会の通商・貿易分科会安全保障貿易管理小委員会が、機微技術の輸出管理について、中間報告を出した。小委員会はこの中で、中国の千人計画のような国家的な人材招致プログラムに参加している日本人に対して日本の重要な技術や製品を提供した場合、それらが不当に外国に渡ってしまう「蓋然性が高い」と指摘している。そのため、政府に対し、日本人に対する機微技術の提供であっても、その日本人が外国から強い影響を受けている場合には、輸出と見なして規制を強化するように提言した（このようなケースを外為法上、「みなし輸出」と呼ぶ）。

「外国から強い影響を受けている状態」について、小委員会は①外国政府や外国法人等との間で雇用契約等の契約を締結し、当該外国政府や外国法人等の指揮命令に服する又はそれらに善管注意義務を負う者 ②外国政府等から多額の金銭その他の重大な利益を得ている又は得ることを約している者 ③本邦における行動に関し外国政府等の指示又は依頼を受ける者——の三類型を示した。

千人計画は②のケースに当てはまるだろう。①は中国軍や関連機関から日本に来る留学生、③は一般の留学生が中国政府から指示・要請を受けるような場合を想定したものだろう。小委員会はそのうえで、三類型に該当するような場合、国籍にかかわらず、外国へ「最終的に技術提供がなされる蓋然性が極めて高い」と強調した。このみなし輸出の規制強化について、政府は六月一八日に閣議決定した「経済財政運営と改革の基本方針（骨太の方針）」で、「二二年度までに実施する」と明記した。

留学生のビザ審査厳格化も

政府は、大学などへの留学生や外国人研究者にビザ（査証）を発給する際、経済安全保障強化の観点から審査の厳格化に乗り出した。安全保障に関係する先端技術や情報が、留学生らを通じて中国などに流出する懸念があるためだ。

国家安全保障局や外務、法務、経産、防衛各省などが疑わしい人物についての情報を共有し、ビザ発給業務を担う在外公館でも活用できるシステムを構築する。従来、大学が出入国在留管理庁に提出するのは、留学生受け入れの承諾書や、最終学歴を記した履歴書などに限られていた。二一年春に始まった新たな運用では、ロケットの素材やＡＩなどを研究する留学生については、過去の学歴や職歴、出身組織や契約関係など詳細な経歴を書類で提出させるという。このほか、①外国からの財政支援の受け入れ状況　②研究内容と兵器開発の関係　③帰国後に軍事関連企業に就職予定があるかどうか――も大学側に確認させ、必要があれば報告を求める。母国の軍や情報機関とのつながりなどについて監視を強化し、問題のある外国人からビザ申請があった場合は、発給の拒否を検討する。また、審査のデジタル化を進め、効率的な審査の実現を目指す。

米国やオーストラリアは近年、中国が留学生を使って組織的、戦略的に外国技術の獲得を狙っているとして警戒を強めている。米国では情報機関が留学生の経歴や個人情報を調べ上げ、ビザ発給を拒否する事例が増えている。

日本ではビザ発給の段階で米国のような厳格な調査は行われてこなかったため、「米国に拒否された中国人留学生が、ターゲットを変えて日本に来ている」（経済安保に詳しい専門家）との指摘がある。

留学生に関しては、外為法上、日本滞在が六か月を過ぎると日本人同様の「居住者」という扱いになり、機微技術に関する情報を入手することへの制約がなくなる問題もある。公安調査庁幹部は「居住者要件は頭が痛い」と語っていたが、みなし輸出の規制強化で解消される見通しだ。

留学生などの居住者要件とも絡むが、大学や企業で機密にアクセスできる人とできない人の線引きが曖昧なことも大きな問題だ。

「セキュリティー・クリアランス」

欧米では、「セキュリティー・クリアランス（適格性評価）」と呼ばれる資格制度が確立されており、資格ごとにどのレベルの機密にアクセスできるかが明確に定められている。逆に言えば、セキュリティー・クリアランスの資格を得ていないと、原則として機密情報に接することができない。民間人であっても同じで、例えば国防産業のセミナーへの参加にセキュリティー・クリアランスが求められるケースがある。

この資格審査では、家族の国籍や交友関係、借金の有無などがチェックされるという。

日本でも同様の制度を導入する必要性が叫ばれて久しいが、国籍調査などに対する反対論が強く、防衛や外交に関わる特定秘密保護法を除いては導入されていない。

このため政府は、個別の入札基準などで対応を始めている。一九年春には、安全保障分野の機密情報を扱う調査研究事業から、外国への情報漏洩の危険がある企業を排除するため、入札などの基準を厳格化した。次世代戦闘機の開発に向けた事前調査といった機微な情報に触れる調査研究を対象に、入札や委託にあたり、企業の資本関係や役員の国籍などを調査し、事業で得た情報の漏洩が疑われるなど安保上のリスクがあると判断した場合には、候補から除外することなどを求める新たな指針を定めた。

防衛省は既にこの指針に基づき、国際的に事業展開する大手コンサルティング会社との調査研究の契約を更新しなかった。外国にある同社の関連会社に中国人の幹部がいたという。同省発注の次世代クラウドの研究も入札が中止された。厚労省などでも、入札が中止されたり、契約企業が変更されたりした事例があったという。

「非公開特許制度」を導入へ

安全保障の観点から技術を管理する意識が薄い日本では、特許を通じても、重要技術が海外に流出している。欧米や中国、韓国、インドなどでは、外国に流出した場合に軍事転用によって自国の安全保障を害する恐れがある技術については、特許を秘密にできる「非公開特許制度」を導入している。しかし日本の特許制度では、特許出願日から一年六か月たつと、特許取得の有無にかかわらず、全ての出願内容が公開される仕組みとなっている。情報はインターネットに無料で公開され、誰でもアクセスできる。

このため、中国などの外国政府が日本の特許技術を調べていることは間違いない。国家安全保障局の元高官は、「企業は、海外に製品を輸出すると技術を盗まれる恐れがあると考え、技術を守るために特許を申請している。ところが、中国は特許制度を順守せず、公開された特許技術そのものを盗んでしまう」と指摘する。中国ではこれまでも、日本企業が中国に進出する際に技術移転を強要されたり、情報開示を求められたりする不公正な経済慣行によって、技術を盗まれるケースがあった。企業は進出のためには仕方がないと従ってしまうが、中国はその技術を使ってより安い競合商品を作るので、長期的には日本企業がダメージを受けることが懸念されていた。

政府は、次世代兵器開発などに利用できる先端技術の特許出願について、安全保障上の必要があれば情報公開を制限する非公開特許制度の導入を検討している。国家安全保障局経済班が、既に導入している各国の制度を参考にしながら制度設計に着手している。米国も、日本に技術管理を徹底するよう求めているという。

対象となる先端技術は、特許庁だけでなく、国家安全保障局や防衛省などが連携して審査にあたる。審査の結果、「国家の安全にかかわる技術」に指定されれば、特許として認めるかどうかにかかわらず、出願内容を非公開とする案がある。

政府は指定の対象として、核開発に転用できるウラン濃縮技術や、強力な電気エネルギーを利用して標的を破壊する「レールガン」など次世代兵器の製造技術、生物・化学兵器の関連技術などを見込んでいる。経産省幹部によると、ウラン濃縮技術や防衛装備品の機関銃などの情報が閲覧可能な状態だったという。

出願者が成果を無断で公表しないよう、違反行為には罰則規定を設ける方向だ。一方で、出願者は非公開期間中、通常の特許であれば見込める特許収入を得られない。国外で同様の技術が独自開発された場合、特許を主張できないおそれもある。非公開とすることによって出願者が不利益を被らないよう、国が一定の補償金を支払うよう求める意見もある。

「攻撃元は中国のＴｉｃｋ（ティック）」

中国は、サイバー攻撃による重要情報の窃取も組織的に行っている。サイバー攻撃では、日本企業も繰り返し被害に遭っているが、攻撃側が様々な偽装を行うため、日本政府が攻撃元を特定し、公表するケースはほとんどなかった。

そうした中、警視庁は二一年四月、中国軍の指示を受けたハッカー集団が一六～一七年、宇宙航空研究開発機構（ＪＡＸＡ）や三菱電機、日立製作所、慶應大、一橋大などを標的にサイバー攻撃を行っていたことを突き止め、攻撃に使われた日本国内のレンタルサーバーを偽名で契約した三〇代の中国共産党員の男を私電磁的記録不正作出・同供用容疑で東京地検に書類送検した。

警視庁公安部は、この中国共産党員から、「小遣い稼ぎのためにサーバーのＩＤやパスワードをネットで売った」との供述を得て捜査した結果、中国のハッカー集団「Ｔｉｃｋ（ティック）」に行きついたという。捜査の端緒となったのは、大手電機メーカー「三菱電機」が二〇年一月に受けたハッカー攻撃だった。

サイバー防御に詳しい内閣官房の高官は、「Ｔｉｃｋは過去の日本企業に対するサイバー攻撃にも関与したとみられていたが、今回は具体的な証拠を見つけ、『ラスト・ワン・マイル』と呼ばれる最も困難な部分をやりきった。日本政府の大金星だ」と意義を強調する。

今回の書類送検によって、Ｔｉｃｋそのものが処罰されるわけではないが、この高官は、「Ｔｉｃｋの関与を対外的に明らかにしたことにより、日本政府のサイバー防御能力の高さを示し、中国による日本への組織的なサイバー攻撃への抑止力を高める効果がある」と指摘。実際、捜査が動き出して以降、Ｔｉｃｋによるとみられるサイバー攻撃は激減したという。

サイバー攻撃と新幹線

「新幹線をサイバー攻撃で乗っ取られたら、日本はどう対処するのか」
元国家安全保障局幹部は現役当時、イスラエル政府関係者からこう問われたことがある。元幹部は「重要インフラではシステムを外部と遮断するなどして守っている」と説明したが、この関係者は「プログラムをアップデートしたり、ＵＳＢを挿入したりすれば、外部とつながる。侵入できないシステムはない」と指摘し、「我々ならハッキングし返して、コントロールを取り戻す」と断言したという。

重要インフラに対するサイバー攻撃への懸念も増している。米メディアの報道によると二一年二月、フロリダ州で水道システムに何者かがサイバー攻撃を仕掛け、人体に有害な量の「水酸化ナトリウム」を水道水に加えようとした事件が起きた。幸いにして、オペレーターがハッキングに気づき、水酸化ナトリウムの濃度を元の設定に戻して事なきを得た。二一年五月には、米最大手のパイプライン運営会社コロニアル・パイプラインがロシアの犯罪集団からサイバー攻撃を受け、全面的な操業停止に追い込まれた。コロニアル社は、メキシコ湾岸の製油所から米北東部までを結ぶ全長約八八五〇キロのパイプラインを運営し、米東海岸で消費されるガソリンや航空燃料など石油製品の半分近くを供給している。燃料の供給不足への懸念から東海岸の一部の州ではガソリンスタンドに列ができた。攻撃には、感染したコンピューターのデータを勝手に暗号化し、解除と引き換えに金銭を要求する「ランサムウェア」と呼ばれるウイルスが使われた。六月のG7サミットの首脳宣言にも、「ランサムウェアの犯罪ネットワークによる共通の脅威の高まりに緊急に対処すべく協働する」と明記された。

サイバー領域では攻撃側が圧倒的に有利で、全ての攻撃を守り切るのは不可能に近い。このため欧米では、軍や情報機関が海外からのサイバー攻撃を監視し、サイバー空間で攻撃元のネットワークにまで入り込んで攻撃を阻止する「前方防衛」も行われている。「攻撃は最大の防御」というわけだ。

米政府は一九年九月、前年の中間選挙への介入を試みたとして、ロシアのニュース配信会社「インターネット・リサーチ・エージェンシー」の職員らロシア人七人を制裁対象に指定したと発表した。米メディアによると、SNSなどに偽情報を流して選挙結果に影響を与える工作を行っていた同社に米サイバー軍が攻撃を仕掛け、ネットワークを遮断したり、コンピューターをハッキングして工作を妨害したりした。同社のハッカー要員のコンピューターに対し、米国が監視しており、工作から手を引くように警告するメッセージを流すことも行われたという。

コロニアル・パイプラインへのサイバー攻撃のケースでは、通報を受け、国土安全保障省などの対策チームが反撃を行った。同チームは通報から二日以内に、ロシアの犯罪集団が使用していた中継サーバーをハッキングし、そこにあったデジタル・ウォレットから、コロニアル社が支払ったビットコインを取り返したとされる。ＦＢＩが二〇年一〇月からこの集団の捜査を行っており、迅速な反撃につながった。

しかし、日本では自衛隊は原則関与せず、「犯罪」を前提に内閣サイバーセキュリティセンターが関係省庁や攻撃を受けた民間企業などと連携して対処するにとどまる。

自衛隊に一四年に発足した「サイバー防衛隊」が防御するのは、基本的に自衛隊のネットワークだ。有事の際に重要インフラを守ることは排除されてはいないが、それを想定した仕組みは整備されていない。専守防衛に縛られる日本政府は、有事の際を除き、相手のネットワークにまで入り込む工作も行っていない。

「重要インフラのサイバー防御は大丈夫か。リアルタイムで情報共有しないか」

防衛省や国家安全保障局は近年、在日米軍からこう要請を受けている。

憲法や法律上の制約について課題を整理するとともに、可能な範囲内で能力を高めておくことが重要だ。

政府は民間人材の育成に力を入れている。独立行政法人・情報処理推進機構は一七年から、発電所や鉄道などの制御システムを入れた模擬プラントで毎年七〇人前後の民間人に一年間、実習中心の研修を行っている。内閣サイバーセキュリティセンターはこうした民間の専門家とも連携しながら、重要インフラへの攻撃に目を光らせている。

だが、国家安全保障局の関係者は、「戦争を前提としたサイバー攻撃は犯罪とはレベルが違う。内閣サイバーセキュリティセンターでは手に負えない」と指摘。一五年に日本年金機構から約一二五万件の個人情報が流出した際には、同センターに出向した経験のある自衛隊員を呼び戻し、防御にあたらせたという。

平時から自衛隊との連携を強化しなければ、有事のサイバー攻撃から国を守ることは困難だ。

デカップリングに消極的な経済界

政府レベルではようやく、技術流出の防止策が動き出したが、サプライチェーンや情報通信インフラなどの中国依存によるリスクを低減し、国益を守っていく取り組みについては、日本の動きはまだ鈍い。

トランプ政権が始めた米中デカップリングの取り組み「クリーン・ネットワーク計画」に対する日本政府の対応が象徴的だ。

クリーン・ネットワーク計画とは、第四章で詳しく触れたように、5Gやスマートフォンのアプリ、海底ケーブルなどから中国企業を排除しようという米国務省主導の構想だ。

国務省ウェブサイトでは、トランプ政権時代の発表は既に、アーカイブに移されている。アーカイブに保存されたクリーン・ネットワーク計画のページでは、オーストラリアやノルウェー、イスラエルなどと一緒に日本も、「米国が主導するクリーン・ネットワーク・プログラムのメンバーになった」と記されている。日の丸とともに、「日本はサイバーセキュリティーで米国との協力を深化させ、外交施設間の通信の安全確保に関する5Gクリーン・パス構想の基本理念を支持したい」という茂木敏充外相のコメントも掲載されている。

ところが実際には、日本政府はクリーン・ネットワーク計画への参加を見送っていた。米政府は日本に参加を求めたが、「特定の国を排除する枠組みには参加できない」として、中国を名指しで批判する同計画への参加は困難だと伝えたという。

ただ同時に、安全保障上の懸念がある場合には、米国と連携しつつ、日本独自に対策を取っていく方針も伝達し、理解を求めた。実際、5G事業からファーウェイなどを事実上排除する運用は始めていた。

日本政府がクリーン・ネットワーク計画への参加を見送ったのは、米中対立のはざまで、全面的な「米国追従」では日本の国益を守れないと判断したためだ。

日本は、米国と比べて中国経済への依存度が高く、経済界を中心に中国のデカップリングには慎重な声が強い。三万超もの日本企業がビジネスを行い、多くの観光客が訪日する隣国・中国との経済関係を遮断した場合、日本経済が深刻な打撃を受けるのは事実だろう。保守派の安倍首相ですら、中国と安定的な関係を築いて景気回復につなげようと、日中関係の改善を図った。

経済関係に加え、外交的にも習近平国家主席の国賓来日が計画されており、中国を過度に刺激するのを避ける狙いもあったとみられる。

外務省幹部はまた、ＷＴＯの紛争処理小委員会が、米国による中国への制裁関税をＷＴＯ協定違反とする報告書を二〇年九月にまとめたことも考慮したと解説する。この高官は「米国の対中排除の枠組みに参加すれば、日本も中国からＷＴＯに訴えられ、敗訴する可能性がある」と語った。

日本政府が参加を見送ったもう一つの要因は、一一月の米大統領選で民主党のバイデン氏が勝利する可能性が高いと見ていたことだった。バイデン新政権の誕生でトランプ政権の攻撃的な対中姿勢が見直される可能性もあるとみていたため、当面、米国の動向を注視したいというのが本音だったのだ。

ただ日本政府は、トランプ大統領や同計画を推進するポンペオ国務長官に参加見送りを直接伝えることはせず、反発を招かないようにうまく立ち回ろうとした。ポンペオ氏が二〇年一〇月上旬に来日した際の外相会談では、クリーン・ネットワーク計画を取り上げたポンペオ氏に対し、茂木氏は5G事業で日本も協力する点を強調した。外務省幹部は、「ポンペオ氏は、日本が計画への参加を見送ったという認識は持たなかっただろう。むしろ日本も賛意を示したと思ったはずだ」と語った。

トランプ政権は対中強硬姿勢が目立ったが、国内向けにアピールするための意味合いも強かった。日本政府の中には、安倍首相とトランプ大統領の良好な関係を生かし、中国の虎の尾を踏まない程度の措置で米国にお付き合いすれば済むと考えていた向きもあった。

バイデン政権「日本重視」の狙い

バイデン政権は当初から、日本との連携強化を強く意識し、迅速に行動に移した。二〇年一一月、大統領選で勝利したバイデン氏と菅首相は初の電話会談に臨んだ。バイデン氏はこの会談で、沖縄県の尖閣諸島が対日防衛義務を定めた日米安全保障条約五条の適用対象だと明言した。バイデン氏の政権移行チームは、「バイデン氏は日本の防衛への深い関与と、日米安全保障条約五条に基づく米国の関与を強調した」との声明を出した。

日本の首相と大統領選に勝利した「米次期大統領」との初の電話会談は通常、あいさつを交わし、日米同盟の強化を確認する程度で、個別の政策について突っ込んだやり取りはしないものだ。次期政権の陣容や外交方針が固まっておらず、準備ができていないことが多いうえ、政権移行期間中に次期大統領が外交活動を行うことは原則として禁じられているためだ。

そうした事情から、菅首相は、尖閣諸島への安保条約五条適用について自ら求めることはしなかった。ところがバイデン氏の方から、この問題を持ち出したという。首相は一二月一一日に出演したインターネット番組で、次のように驚きを表した。

「初めての次期大統領との首脳会談ですよね。その場で安保条約五条に言及してきたのは、私どもの考え方からすれば、これはあり得ないんです。新しい政権ができて、公の場で尖閣を含めての発言してもらうのにかなり外交努力、時間をかけてやってきて初めて発言してもらったんですね、今まで。ですから最初の私の、当時の想定の中に入ってなかったんですよ。それをいきなり言っていただいた」

二一年三月、ブリンケン国務長官、オースティン国防長官が初外遊で日本を訪れ、外務・防衛担当閣僚による日米安全保障協議委員会「2プラス2」が東京都内で開かれた。政権発足から二か月での「2プラス2」開催は過去最速だった。「米国第一」を掲げ、単独行動主義で世界中の同盟国との関係を傷つけたトランプ政権からの転換を印象づける狙いがあったとみられる。

「2プラス2」の協議を踏まえて発表された共同文書では、中国の行動が「日米同盟及び国際社会に対する政治的、経済的、軍事的及び技術的な課題を提起している」と警鐘を鳴らした。そのうえで、中国が「既存の国際秩序と合致しない行動」を取っていると指摘。さらに、海警船の武器使用条件を定めた中国の海警法施行に「深刻な懸念」を示し、尖閣諸島周辺での一方的な行動に反対すると強調した。尖閣諸島への安保条約五条適用も改めて確認した。

「2プラス2」の共同文書で中国を名指しして批判するのは、初めてだった。これまでは中国に触れる場合でも、「地域の安定及び繁栄において責任ある建設的な役割を果たし、国際的な行動規範を遵守し、急速に拡大する軍事面での資源の投入を伴う軍事上の近代化に関する開放性及び透明性を向上させるよう引き続き促していく」(一三年一〇月三日の共同文書「より力強い同盟とより大きな責任の共有に向けて」)、「日本、米国及び中国の間の信頼関係を構築しつつ、地域の安定及び繁栄における中国の責任ある建設的な役割、グローバルな課題における中国の協力並びに中国による国際的な行動規範の遵守を促す。中国の軍事上の近代化及び活動に関する開放性及び透明性を高め、信頼醸成の措置を強化する」(一一年六月二一日に策定した共通戦略目標)などと、外交的に配慮した言い回しが使われていた。

今回の共同文書には、「台湾海峡の平和と安定の重要性を強調した」とも書き込んだ。米国は、安全保障の取り組みに加え、経済競争力の維持や、中国の軍備増強につながりかねない先端技術の保護といった経済安全保障でも、日本に同調を求めた。

ブリンケン氏は「2プラス2」が開かれた一六日朝、日本のビジネス界との協議に臨んだ。

「これは、国務長官としての初外遊での最初のイベントです。それには理由があります」

日本のビジネスリーダーたちを前に、こう切り出したブリンケン氏が持ち出したのは、サプライチェーンの問題だった。ブリンケン氏は次のように訴えた。

「医療物資や半導体といった重要な製品の世界的なサプライチェーンの脆弱性が、パンデミックなどにより浮き彫りになった。我々はこれから、安全で強靱なサプライチェーンを構築する必要がある。バイデン大統領が重点を置いている極めて重要な仕事だ」

「技術革新が急速に発展する中、知的財産を盗む者たちが確実に責任を負わされるよう、今こそ一致協力する時だ」

中国との経済的結びつきが強く、米国と足並みを乱しかねない日本の経済界に、「安保は米国、経済は中国」という甘えは許さないという警告を発したとの見方が出た。

楽天がテンセント出資受け入れ

実は「2プラス2」の前週の三月一二日、日本の経済界への懸念を米国に抱かせる動きが明らかになっていた。楽天が、中国IT大手テンセントの子会社から発行済み株式総数の三・六五％にあたる約六六〇億円の出資を受け入れることを発表したのだ。

テンセントは、一〇億人規模の利用者がいるSNSアプリ「微信」を運営しているが、第三章で触れたように、米国ではアプリを通じて個人情報が不正利用される懸念を持たれている企業だ。そうした中国企業から出資を受けることは、将来的に米市場から排除される可能性もあるリスクの大きい取引だ。

経産省幹部は、「米国が通信事業における中国依存のリスクを懸念している時に出資を受け入れたのは、認識が足りないのではないか。菅首相の四月の訪米前でもあり、タイミングも悪い」と苦々しそうに語った。

さらに楽天とテンセントは、外国資本が出資比率一％以上となる出資を行う場合に外為法で原則として義務づけられている事前届け出を行わなかった。一〇％未満の株式取得の場合、役員に就任しない、非公開情報にアクセスしないなどの免除基準を満たしていれば事前届け出は必要ない。この条件に合致しているというのが楽天、テンセント側の主張だったが、事前の相談もなかった日本政府には不信感が広がった。

政府は今後、免除基準や、コア業種の場合の上乗せ基準である「取締役会や重要な意思決定権限を有する委員会に参加しない」「取締役会等に期限を付して回答・行動を求めて書面で提案を行わない」といった禁止行動に抵触することがないか、監視の目を光らせるとしている。国の安全が損なわれると判断すれば、株式の売却を命じることも検討する構えだ。ただ、こうした命令は、英投資ファンドが〇八年に電力卸の電源開発（Jパワー）の株式を最大二〇％まで取得しようとした際、エネルギー政策に不測の事態が起きかねないとして中止を命令した例があるだけで、ハードルが高いとの見方が専門家の間では強い。

米政府は日本政府に対し、テンセントから楽天への出資に「深刻な懸念」を伝えてきたという。米国では、シフィウスが取引を阻止する命令を普通に出すため、事業者の側が事前に当局に相談するのが一般的だ。楽天は米国でも事業を展開しており、米国の情報機関も監視を強化するとみられる。

楽天によるテンセントからの出資受け入れは、日本の経済界の認識不足の一端を示したと言えよう。今後は、米国でビジネスを続けたいのであれば、経済合理性だけでなく、経済安全保障上のリスクについても十分に検討する必要がある。

繰り返される対中融和政策

日本の対中政策は伝統的に、安保上、懸念される行動があっても、経済的な関係を強めることにより、「ウイン・ウイン」の関係を築こうとしてきた。こうした姿勢は、「戦略的互恵関係」や「日中協商」という言葉に表れている。

一九八九年の六月、民主化を要求して北京中心部の天安門広場を埋め尽くした学生らを、共産党政権が「反革命暴乱」とみなし、軍を投入して戦車などで鎮圧した天安門事件後の対応が象徴的だ。

二〇年一二月二三日に外務省が公開した外交文書は、事件直後から、政府が人権問題よりも、中国に改革・開放政策を維持させるため、対中経済関与の継続を重視していた実態を改めて浮き彫りにした。

事件が起きた六月四日付の「中国情勢に対する我が国の立場」と題する一枚紙の文書では、事件は「人道的見地から容認出来ない」としつつ、「基本的に我々とは政治社会体制及び価値観を異にする中国の国内問題」と指摘。そのうえで、「(西側先進諸国が)制裁措置等を共同して採ることには、日本は反対」との方針を打ち出していた。

二二日付の宇野宗佑首相への説明用文書「我が国の今後の対中政策」では、「我が国が有する価値観(民主・人権)」と「長期的、大局的見地からみて中国の改革・開放政策は支持」という「二つの相反する側面の調整」が課題だとしたうえで、「結論は、長期的・大局的見地の重視」と強調している。

実際、二一日付の「今後の対中経協政策について」と題した文書では、日本の経済協力が「中国の近代化、開放化」を支援してきたとし、事件によっても、「近代化、開放化の大筋が維持される限りこれを変更すべき理由はなし」と断言していた。

具体的な対応として、中国への第三次円借款(八一〇〇億円)を含む新規案件は「当面は延期の姿勢」とする一方、継続案件は「原則としては続ける」とした。ただ、欧米諸国が対中制裁を打ち出す中で、「日本政府ないし日本企業の対応がことさら『突出』し、『火事場泥棒』と映るような行為となるのを極力控える」とも付記した。

中国への巨額援助を続けたのは、中国の改革・開放を後押しすれば「穏健な中国」が実現するという前提があった。しかし、共産党政権はその後、民主化や政治的な自由を求める動きに対する監視や情報統制を強め、改革・開放政策は変質していった。日本が厳しい態度を取らなかったことで、中国は、市民を武力弾圧しても、国際社会から完全に取り残されて経済的に回復できない損害を被ることはない、逃げ切ることが可能だと考えているのではないか。

中国とどう向き合うかをめぐり、日本は今も、人権か経済かという当時と変わらぬ課題を突きつけられている。

中国共産党によるウイグル族への人権弾圧に対し、米国はジェノサイド（集団殺害）と厳しく非難し、輸出管理を通じた制裁に踏み切った。人権問題には敏感な欧州も、米国に足並みをそろえて制裁を発動している。これに対し日本政府は、「人権弾圧の事実を確認できていない」（外務省幹部）などとして、判断を留保している。日本はG7で唯一、人権侵害を理由に他国の政府高官などに制裁を科すことを目的とした法制度を持っていない。茂木外相は、「それぞれの国がとり得る策は違う。何が有効かはそれぞれが考えながら、（中国に）働きかけをしていくことが重要だ」と説明するが、天安門事件後の対応の反省が十分に生かされているのかどうか疑問だ。

この問題では、日本企業も対応を問われている。カジュアル衣料大手ファーストリテイリングは二一年一月、米税関・国境警備局から「ユニクロ」の綿シャツの輸入を差し止める措置を受けた。綿シャツが、ウイグル族の強制労働を巡る輸入禁止措置に違反している可能性があるというのが理由だった。同社は「この度の決定は非常に遺憾。生産過程で強制労働などの問題がないことが確認されたコットンのみを使用している。人権侵害が確認された場合には、取引停止や調達の見直しを含め厳正に対処します」とするコメントを発表した。

輸入が差し止められた製品は、中国の工場で縫製していたものの、中国以外で生産された綿を使っていたという。

この輸入差し止めについては、ウイグル族への人権弾圧に対し、ユニクロが明確な立場を示してこなかったことが背景にあるとの見方が出ている。二一年に入り、スウェーデンの「H&M」など欧米のファッションブランドが新疆ウイグル自治区産の綿花「新疆綿」を製品に使用しないと表明し、中国で不買運動に遭っていた。こうした中、ファーストリテイリングの柳井正会長兼社長は四月八日の決算記者会見で、「政治的な問題なのでノーコメント」と繰り返した。ユニクロはかつて、新疆綿を使用していた。同社の一五年CSRレポートには、一三年に新疆ウイグル自治区の綿花畑を訪問し、「児童労働はないか、などを確認しました」と記されている。説明が不十分なままでは、欧米などから、中国市場を維持するために人権問題への対応が甘いのではないか、と疑念が持たれるリスクがぬぐえない。

中国共産党は、ウイグル族に対してだけでなく、香港の民主派も徹底的に弾圧している。日本は再び、対中政策の岐路に立たされているのではないか。

「戦略的自律性」と「戦略的不可欠性」

日本政府には現在、米中のデカップリングに十分に対応できる部署がない。本来、国家安全保障局の経済班が戦略作りやそれに基づく対応を担うべきだが、菅首相は中国との経済関係を重視し、経済安保を強化する動きは停滞気味だ。この問題に詳しい専門家によると、米政府は日本政府の腰の定まらない姿勢に不満を示し、「この企業は中国で何をやっているのか」などと個別に問い合わせてきているという。

経済安保戦略作りでは、自民党の新国際秩序創造戦略本部（甘利明座長）が先行している。同戦略本部は二〇年一二月一六日、「『経済安全保障戦略』の策定に向けて」と題した提言書をまとめた。この中で、「戦略的自律性」と「戦略的不可欠性」という二つの概念を提示している。

戦略的自律性とは、「わが国の国民生活及び社会経済活動の維持に不可欠な基盤を強靱化することにより、いかなる状況の下でも他国に過度に依存することなく、国民生活と正常な経済運営というわが国の安全保障の目的を実現すること」だという。新型コロナの感染が広がった二〇年前半のマスク不足のようなことが起きないように、中国への依存度合いを引き下げることを意味している。

戦略的不可欠性とは、「国際社会全体の産業構造の中で、わが国の存在が国際社会にとって不可欠であるような分野を戦略的に拡大していくことにより、わが国の長期的・持続的な繁栄及び国家安全保障を確保すること」だとしている。参考にすべき考え方だろう。

政府は一九年から、各省庁に技術担当官を置き、所管する研究機関や業界などにどのような先端技術があるか、把握に努めさせている。日本が持つ新興・重要技術を把握し、それらをどう育て、守っていくかという戦略を明らかにすることが大切だ。

二〇年七月一七日に策定された政府の「統合イノベーション戦略二〇二〇」では、目指すべき将来像について、「国際的に科学技術情報の流出の問題が顕在化する中で、我が国においても包括的な技術管理の取組を更に充実させつつ、我が国において優れた科学技術の研究開発と社会実装を進め、技術的優越を確保・維持しながら、これを安全・安心の確保のために幅広く活用できる社会を実現」することだと説明している。

政府は、こうした取り組みを進めるために、シンクタンク機能を充実させる方針だ。統合イノベーション戦略推進会議の下で二一年四月二七日に公表された有識者会議の報告書は、「我が国及び国民の安全・安心に対する脅威に科学技術・イノベーションを活用して対応するためには、『知る』、『育てる』、『生かす』、『守る』の視点が重要である」と訴えた。そのうえで、「『いかなる脅威があるのか』、『脅威に対応できる技術』及び『脅威となり得る技術』を予測し、特定する（知る）必要がある。次に、『必要な技術をどうやって育てるか』、『育てた技術をどうやって社会実装するか』（育てる・生かす）を検討する必要がある。また、それらの技術について『いかに流出を防ぐか』（守る）に係る取組を進める必要がある」と訴えた。

シンクタンク機能に求められる役割としては、「調査分析機能」「情報集約・連携のハブ機能」「人材確保・育成機能」の三つを掲げた。このうち、調査分析については、脅威やそれに対応する技術の動向、国内外の先端技術の研究開発、諸外国の政策・戦略などに関する情報収集に基づき、育て、守るべき技術を特定することが重要だとした。二一年九月までに外部委託形式でシンクタンク機能を試験的に開始し、その成果を踏まえ、二三年度をめどに政府として本格的に運用を始める方針だ。

日本の戦略的取り組みの試金石になりそうなのが、半導体をめぐる対応だ。米中の技術覇権争いの激化や新型コロナウイルスの感染拡大で戦略的物資のサプライチェーンに関するリスクが浮き彫りになったこと、社会のデジタル化やグリーン化に伴い半導体の需要が増していることを背景に、半導体の確保が経済安全保障上の最重要問題と見なされるようになっているためだ。

スマートフォンや5Gなどに使われ、利益率が高い五～一六ナノの最先端半導体をつくれるのは、台湾のTSMCや韓国のサムスン電子、米インテルなどに限られる。

経産省によると、日本は世界一位の半導体工場数を誇るが、その多くは「陳腐化・老朽化」しており、最先端半導体を製造することができないという。日本企業はかつて半導体製造で世界トップの地位にあったが、今では、自動車向けの二〇～四〇ナノ程度の

「ミドルエンド」の製品の製造が中心だ。二一年三月一九日に火災が発生した半導体大手ルネサスエレクトロニクスの那珂工場（茨城県ひたちなか市）も、一九八五年に操業を開始した歴史のある工場で、作っていたのはミドルエンドの製品だった。

半導体をめぐる最も大きな変化は、政府の関与の在り方だ。少し前までは、中国政府による五兆円を超える大規模投資や地方レベルでの五兆円を超える基金などの半導体産業に対する補助金を、米国をはじめとした各国・地域が問題視する構図だった。しかし現在は、米国、欧州、台湾も競い合うように自国の半導体産業に巨額の補助金を投入し、グローバルな競争の生き残りを支援している。米国は約五・七兆円、欧州は約一七・五兆円、台湾も約二・七兆円の投資を計画している。

バイデン大統領は四月一二日、米国の半導体産業や台湾のＴＳＭＣ、韓国のサムスン電子の幹部を集めたオンライン会議を開いた。バイデン氏はこの中で、中国共産党が半導体のサプライチェーン独占をもくろんでいるとして政府に対抗策を求める米超党派議員団の要請文を紹介したうえで、「中国や世界は待っていない。アメリカだけが待たなければならない理由はない。我々は半導体や蓄電池といった分野に積極的に投資していく」と強調した。

具体的には、工場の新設などに巨額の補助金を出す方針で、インテルはアリゾナ州に二つの半導体工場を建設すると発表した。加えて、台湾のＴＳＭＣにも巨額の補助金を出すことを約束し、同州に工場を誘致した。

要するに、米国や欧州各国は、中国の国家資本主義に対抗するため、自由貿易の堅持というそれまでの姿勢から、保護主義的な産業政策を一部で取り入れる方向に舵を切ったと言えよう。経産省が二一年六月にまとめた「半導体戦略」はこの転換を、「各国が、経済安全保障の観点から重要な生産基盤を囲い込む新次元の産業政策を展開」するようになったと指摘した。

日本も世界の潮流に乗り遅れないよう、戦略的に取り組む必要がある。半導体戦略は、日本も半導体工場の新設や改修を「国家事業として主体的に進める」ことが必要であると訴えている。現在、政府が半導体の開発などを支援する基金の規模は二〇〇〇億円で、欧米と比べると一桁から二桁少ない。自民党有志が五月に設立した「半導体戦略推進議員連盟」（甘利明会長）は、「前例のない異次元の支援による半導体の国内製造基盤強化を求める決議」を取りまとめ、「米国・欧州といった他国に匹敵する規模の予算措置を早急に講ずべきである」と求めた。

ＴＳＭＣは日本でも、茨城県つくば市に最先端の半導体研究開発拠点を新設すると発表している。日本企業は半導体の製造装置や素材に強みを持っており、国際的な共同研究・開発で連携が可能だ。米国が今後、サプライチェーンの再構築を米国内中心で進めるのか、同盟国も幅広く活用する意向なのかによって、日本の戦略は変わってくるが、日本がこのピンチをチャンスに変え、半導体産業を再興できるかどうかが問われる。

菅首相の覚悟求めた日米首脳会談

菅首相は四月一六日、バイデン大統領とワシントンのホワイトハウスで会談した。バイデン氏が就任後、対面で会談する最初の外国首脳で、文字通りの一番乗りだった。バイデン政権には、強固な日米同盟を内外に示すというだけでなく、安全保障、経済、技術などあらゆる面で米国に挑戦してきている中国との競争で、これまで以上に日本に責任を分担させる思惑があったとみられる。

そのことは、首脳会談後に出された共同声明「新たな時代における日米グローバル・パートナーシップ」によく表れている。

安全保障面での期待は、台湾問題への関与だ。共同声明は「日米両国は、台湾海峡の平和と安定の重要性を強調するとともに、両岸問題の平和的解決を促す」と明記した。日米首脳会談の成果文書で台湾海峡情勢に触れるのは、一九六九年に行われた佐藤栄作首相とニクソン大統領の会談以来、約半世紀ぶりである。七二年に日中の国交が正常化されてからは、中国に配慮して台湾に触れるのを控えていた。

台湾問題は、中国にとって「核心的利益」であり、統一のためには武力行使も辞さないと表明している最も敏感な問題だ。それだけに、三月の日米「2プラス2」の共同文書で台湾に触れると、中国側は日本政府に対し、「これ以上、台湾問題に深入りすると、今まで通りの日中関係が維持できなくなる」と強く警告してきたという。中国外務省の趙立堅・副報道局長は、「(日本は)喜んで米国の戦略的属国となり、信義に背いて中日関係を破壊した。オオカミを部屋に引き入れ、この地域全体の利益を売り渡した。見下げたやり方だ」と語り、「強烈な不満と断固たる反対」を表明していた。

このため日本政府内には当初、日米首脳会談の共同声明への台湾明記に消極的な声もあった。だが、米側は事前の協議で、何としても台湾有事を抑止しなければならないという強い危機感を日本政府にも共有するよう求めた。

日本側は有事の対応には触れず、「2プラス2」の「台湾海峡の平和と安定の重要性を強調した」という表現に、「両岸問題の平和的解決を促す」と付け加える案を逆に提案した。主要閣僚の一人は、「拳を振り上げっぱなしのような表現は避けたかった」と解説した。

首脳会談に伴う共同声明は、会談前に文言の調整が全て終わっているケースが多いが、今回のケースでは、台湾部分の表現ぶりは首脳同士の調整にまで持ち込まれた。最終的に日本側の案で決着したが、共同声明が発表されたのは会談終了から四時間以上もたってからだった。同行筋は「台湾部分の最終調整に時間がかかった」と話した。

台湾有事において自衛隊がどのような役割を果たすのか、そしてそれをどのように国民に説明するのか、困難な課題は山積されたままだ。ただ、こうした課題に対応していく必要性は、日本政府内で認識された。日本は共同声明で、「日本は同盟及び地域の安全保障を一層強化するために自らの防衛力を強化することを決意した」と踏み込んだ。年内に開催することで合意している次の「2プラス2」までに、米側から一定の前進を求められることは確実だ。

バイデン政権の日本に対するもう一つの期待は、経済や技術をめぐる問題への対応で日本が米国と協調することだ。共同声明は、「両国の安全及び繁栄に不可欠な重要技術を育成・保護しつつ、半導体を含む機微なサプライチェーンについても連携する」と指摘した。そのうえで、最後の「今後に向けて」とする段落で、中国の挑戦に対抗していくための日米の責任を次のように総括している。

「今日、日米両国が担う責任は重大なものだが、両国は決意と結束をもってそれらに向き合う。日米両国は、両国が有する地域のビジョンに対する挑戦にもかかわらず、両国の安全保障関係が確固たるものであること、世界的な悲しみと困難の一年を経て、両国のパートナーシップが持続可能なグローバル経済の回復を支えるものであること、そして、ルールに基づく国際秩序の自由及び開放性に対する挑戦にもかかわらず、そのような国際秩序を主導するため、日米両国が世界中の志を同じくするパートナーと協力することを確実にする」

バイデン氏は菅首相との共同記者会見で、「我々は二一世紀においても民主主義が勝ることを証明するため、協力していく」と宣言し、民主主義の強靱さを示すために日米で連携していく考えを強調した。

要するにこの首脳会談は、米国が日本に対し、中国との体制間競争に向けてしっかりタッグを組むように覚悟を問うものだったと言っていいだろう。

「菅首相はルビコン川を渡ったのか」

会談が終わってから、日本の外交当局者や専門家の間で議論されたのが、首相がどこまで腹を固めたのか、という問いかけだった。

これに対し、首脳会談のプロセスに深く関与した政府高官は、「米国が経済安全保障の観点から先端技術や重要物資・製品の対中デカップリングを進めているのに対し、中国から経済的利益を得ている日本は覚悟ができていない」と現状を分析したうえで、「菅首相は共同声明の作成とバイデン氏との会談を通じ、中国との体制間競争に乗り出した米側の決意を感じ取ったはずだ。今回の会談は、首相がその覚悟を固める一つの契機になるものだろう」と総括した。

「ゼロサム・ゲーム」の様相

まず問われるのが、経済安保の対応だ。防衛省幹部は、「新興技術の保護やサプライチェーンの再構築が首脳声明に明記されたことで、これまで経済安保に前向きではなかった省庁も、これからは必死になって何をやらなければいけないか考えざるを得なくなる」と指摘した。政府は今後、経済安保の一括法を制定し、各業界の「業法」に、安全保障を目的に外国の活動を規制できる条文を追加する方向で検討している。

ただ、経済安保の行方はこれからの取り組み次第だ。日本がどこまでデカップリングを進めるのか、その線引きはまだ明確に見えてはいない。

バイデン氏の「民主主義が勝ることを証明する」という発言からも明確なように、バイデン政権は中国との関係を、体制間競争と位置づけている。体制間の競争なので、米中の双方が利益を得る「ウイン・ウイン」の関係にはならず、どちらかがゼロでどちらかが総取りする「ゼロサム・ゲーム」の様相が強まるとみられる。

今後は、中国経済とのつながりで恩恵を受けてきた経済界も覚悟を求められることになるが、紆余曲折が続くことが予想される。

外務省幹部は、「トランプ政権はカウボーイのように派手に方針を打ち出し、従うように求めてきたが、首脳会談さえうまく乗り切れば、その後の取り組みについて厳しく要求してくるわけではなかった。安倍首相がトランプさんと一緒にゴルフをして、肩を組んでいればうまくいった」としたうえで、「バイデン政権ではそうしたごまかしは通用しない。日本が約束したことをきちんと実行するのか、官僚的にギチギチと確認してくるだろう」と身構える。

今回、共同声明と一緒に出された付属文書の一つ「日米競争力・強靱性（コア）パートナーシップ」は、「日米両国は、開放性及び民主主義の原則にのっとり、持続可能でグリーンな世界の経済成長を主導する」と強調している。重要な技術、製品を共産主義・中国に握らせず、西側諸国で作っていくという意味だ。具体的には、①安全でオープンな5Gネットワーク　②5G及び次世代移動体通信網（6G又はBeyond 5G）を含む安全なネットワーク及び先端的なICT（情報通信技術）の研究、開発、実証、普及に米国は二五億ドル、日本は二〇億ドルを投資　③サイバーセキュリティー　④国際標準の策定　⑤半導体を含む機微なサプライチェーン及び重要技術の育成・保護　⑥開放性、透明性、連携や研究における公正さといった原則にのっとり、国際公益のためにバイオ・テクノロジーを発展させること　⑦量子科学技術分野における研究機関間の連携――で協力していくとした。

こうした分野では、日米がしっかり足並みをそろえ、協調していくことが重要だ。一方、中国経済との広範囲に及ぶデカップリングは選択肢として現実的ではない。日本には、一九七一年にニクソン大統領が中国訪問を発表した「ニクソン・ショック」のように、米政府の政策の大転換によって、日本が置き去りにされることは避けなければならないという警戒感もある。日本が対中強硬策の前面に立つのは得策ではない、というのは外交関係者に共通した思いだ。

ＰＨＰ総研の金子将史代表は、「日本は隣国である中国とも付き合わないといけない。米中の文脈だけで考えるのではなく、インドやオーストラリアなど友好国とも連携し、集団的に対処する戦略を練るべきだ」と指摘する。

米中双方の虎の尾を踏まない程度の対応でしのごうというだけでは、日本はいずれ、東南アジアの国々のように、米中の顔色をうかがいながら生きていくことになってしまいかねない。そうならないためには、経済安全保障にしっかり対応しつつ、その他の分野では中国との経済関係を続けていくための具体的な戦略を日本自らが考え、実践し、米中双方に働きかけていくことが不可欠である。日本が米中のはざまでどのように生き残っていくのかについて、もう議論する時間さえあまり残されてはいない。

おわりに

今年は、一九四一年一二月八日の真珠湾攻撃に端を発する太平洋戦争開戦から八〇年となる。そのわずか三週間ほど前の一一月一五日、大本営政府連絡会議は「対英米蘭蔣戦争終末促進ニ関スル腹案」を決定している。同盟国のドイツ、イタリアと連携し、米国、英国、オランダ、中国・蔣介石政権などとの戦いを遂行するためのいわば基本戦略だ。

腹案には、「方針」として「速やかに極東における米英蘭の根拠を覆滅して自存自衛を確立するとともに、さらに積極的措置により蔣政権の屈服を促進し、独伊と提携してまず英の屈服を図り、米の継戦意志を喪失させるよう努める」との趣旨が書かれてある。

ところが、「要領」として盛り込まれた諸施策の中には、ずいぶんと虫の良いというか、希望的観測が少なからず盛り込まれていた。

▽独伊両国に、中近東、北アフリカ、スエズでの作戦実施、対英封鎖の強化、英本土上陸作戦実施を「執ラシムルニ勉ム」
▽重点を「日米戦は無意義」との指摘に置き、米国世論を厭戦に導く。独伊に、大西洋及びインド洋での対米海上攻勢、中南米に対する攻勢の強化を「執ラシムルニ勉ム」
▽中国に対しては、対米英蘭戦争の作戦「成果」を活用して蔣政権の屈服を促進する
▽独ソ戦まっただ中にあるドイツ、ソ連両国を講和させ、ソ連を枢軸側に引き入れる

確かに、日本が中近東、アフリカ、英国本土まで戦線を拡大するのは極めて困難であり、独伊の力を当て込むしかなかった。当時のドイツの勢いをみれば、多くの日本人は、英国とソ連の屈服が可能と受け止めたであろう。

しかし、日本はドイツを過信していた。ドイツはやがて連合国の反転攻勢を受け、追い込まれていく。そもそも、ヒトラーは『わが闘争』で日本を侮蔑しており、日独間に緊密な連携、対話があったかどうかは疑わしい。

工業生産能力が日本の七四倍あった、との分析もあるほど圧倒的な経済力を有する米

国が、簡単に戦意喪失などするはずがないことは、当時の政府、軍首脳も認識していた。にもかかわらず、戦争末期まで、この「戦意喪失」への淡い期待にとらわれ続けた。ソ連を仲間に引き入れるという話がいかに荒唐無稽であったかは、終戦間際の北方領土侵攻をとってみても一目瞭然だ。中国に対しても、「膺懲(ようちょう)」というスローガンもあったように、はなからなめてかかっていた感は否めない。

秋丸次朗陸軍中佐を中心に、官僚や経済学者らも参加して結成された「陸軍省戦争経済研究班(秋丸機関)」は開戦前にまとめた報告書で、ドイツがソ連に短時間のうちに勝利してその資源を利用でき、さらに南アフリカにまで進出しない限り、対英米長期戦に耐えられない——と暗に提起したが、一顧だにされなかった。二〇一九年度読売・吉野作造賞を受賞した『経済学者たちの日米開戦』(新潮選書)に詳しい。著者の牧野邦昭氏は「腹案」について、「戦略と言うよりも日本の『願望』というべき内容」「『素人考え』的な方法」と評している。

日本の脅威となっている国にも友邦にも楽観的だというのは、現代日本にも通じる教訓である。

中国は南シナ海、東シナ海で圧力を強め、沖縄県・尖閣諸島周辺海域では、中国海警局船の領海侵入が常態化し、日本漁船の安全が脅かされている。空母「遼寧」を含む中国軍艦船による沖縄近海の航行も目立ち、日本周辺空域においては、中国軍機に対する自衛隊機のスクランブル（緊急発進）が多発する。過剰反応は禁物だが、国民は相応の危機意識を有していると言えるだろうか。核搭載可能な中距離弾道ミサイルの発射機が、数百機も日本を射程に収めているのに、核廃絶を訴える市民団体は日米を非難する一方で、中国に向けるまなざしはなぜか優しい。

本書で紹介したように、中国は経済分野でも、西側諸国に様々な揺さぶりをかけてきている。外国人研究者を高報酬で自国に招請して機微な技術・情報を取り込もうとしたり、自国製の高速・大容量の通信規格「5G」ネットワークを提供する一方で機密情報を抜き取ったりする懸念が浮上し、米国は警戒を強めている。中国へのサプライチェーン（供給網）依存が、中国政府の腹一つで日本への揺さぶり、脅しに使われる恐れも強まっており、日本も「経済安全保障」が厳しく求められているのが現実だ。

トランプ政権で大統領補佐官を務め、対中強硬派として知られるピーター・ナバロ氏は二〇一五年刊の『米中もし戦わば』（邦訳・文藝春秋）で、既にこう指摘していた。

「中国は、軍事研究や新兵器システム開発にほとんど費用をかける必要がないのである。

その重要な理由の一つは、最新兵器の設計をペンタゴンや民間防衛企業から盗み出す中国人ハッカーのスキルの高さである。もう一つの理由としては、中国が外国から購入したテクノロジーの多くを不法にリバースエンジニアリング（製品を分解したり動作を観察することによって、技術を模倣すること）していることが挙げられる」

そのうえで、ナバロ氏は、中国人は真の国力を「総合国力」と呼び、軍事力、核兵器能力といった「ハードパワー」だけでなく、「経済力、労働力の熟練度、政治体制の安定度、天然資源基盤の底深さと幅広さ、教育制度の質、科学的発見の状態やそれに伴うイノベーションや技術革新の程度、さらにはその国の外交的・政治的同盟の性質や強度といった幅広い『ソフトパワー』にも左右される」と分析。中国軍戦略家の「戦わずして勝つとは、まったく戦わないことを意味するのではない。政治戦、経済戦、科学・技術戦、外交戦等々、戦わなければならない戦争は数々ある。これを一言でまとめれば、総合国力戦である」との言葉も紹介している。

これに対し、日本はどうか。

たとえば、「軍事目的のための科学研究を行わない」との方針を頑なに守り、防衛装備庁の研究推進制度への参加さえ阻止しようとする有力学者たちがいる。他方で、中国人の〝善意〟を信じて（信じようとして）、軍事開発に資する恐れがある研究に参加し、結果的に中国への手助けとなりかねないケースさえある。

日本の政界で、対中国の経済安保に強い危機意識を有しているのは、安倍晋三前首相、麻生太郎副総理兼財務相のほか、自民党ルール形成戦略議員連盟の甘利明会長らまだまだ少数派だ。安倍政権下の二〇二〇年四月、国家安全保障局（ＮＳＳ）に「経済班」が設けられたものの、新型コロナウイルス対応に追われる菅義偉内閣においては、動きが停滞気味との見方も出ている。

中国を過度におもんぱかり、とかく事を荒立てようとしないことを優先しようとする「親中派」と呼ばれる勢力が各界に根強く存在する。

かつての敵国から、今や唯一の同盟国となった米国に関しても、我々はどこまで正しく認識しているだろうか。米国が自由、民主主義、基本的人権、法の支配といった普遍的価値観を共有する最重要パートナーであることは疑いない。バイデン大統領は二〇二一年四月、初めての対面首脳会談の相手に菅首相を選んだことで、日本政府内には手放しで喜ぶ向きも少なくない。

もっとも、バイデン政権が何の見返りもなく、厚遇したわけではない。世界第二の経済大国にのし上がり、軍事力増強が著しい中国との対立が激しさを増し、米国は台湾情勢に対する危機感を強めている。中国の人権状況を問題視する声は日増しに大きくなっている。そうした中で、「日本は米国のために何をしてくれるのか」と、軍事面を含めた「踏み絵」を迫ってきている側面があることも忘れてはならないだろう。

同盟にはガーデニングと同じく、日頃の「手入れ」が欠かせないとされる。にもかかわらず、現状にあぐらをかき、米国の本音を冷徹に分析もせず、おんぶにだっことなっているのだとすれば、同盟はあっという間に機能不全に陥りかねない。

日本にとって、何が必要で、どんな姿勢が求められるのか。

酒井鎬次（こうじ）という陸軍中将がいた。陸軍きっての秀才とされ、第一次世界大戦時にフランスに駐在したことで「長期総力戦」の愚を知ったという。戦時中は東条英機と対立して不遇をかこった。

片山杜秀氏の『未完のファシズム』（新潮選書）によれば、酒井には、「持たざる国」の日本にとって、戦争の相手は身の丈に合っていなければならない、「持てる国」との戦争は極力避けるべきだ、との信念があった。「『持たざる国』なりに可能な最大限の範囲で兵装を近代化する。数は不十分でも質の優れた航空部隊や戦車部隊を編成する」ことを志向した。

酒井には、戦局悪化の著しい一九四三年九月に出版した『戦争類型史論』という著書がある。古今東西の戦争を分析する体裁を取りつつ、当時の東条内閣への批判が込められている内容だ。その中に、こんなくだりがある。

「我々は厳粛な事実を正しく認識し、あるが儘の現実を率直に把握するの用意も亦極めて重要であろう。戦争に敗れたものが、多くこの現実把握の不足から出発していることは、我々が戦争史に於て数多く見た所である」

「我々が検討した戦争史から受ける暗示は、理想と現実との程よい調和ではなかろうか。そして、これに達するの道は、主観的に考えて、腹八分の摂生法を守るにあるやに考えられる」

現代日本に置き換えれば、「身の丈」「腹八分」とは何であろうか。

こちらから中国に喧嘩を仕掛けることはない。だが、今の中国・習近平政権のふるまいは、かつての中華帝国をみるような覇権主義を強めている。軍事的な圧力を強めようとしてきた時、「日本にちょっかいを出したら痛い目に遭うぞ」と思わせるだけの防衛力を整備し、毅然として守り抜く覚悟を持つことが欠かせない。経済面で締め付けを受けたとしても、国民生活に支障を来さないようできる限りのセーフティーネットを築いておかねばならない。無防備に日本の技術を流出させてしまうことなど言語道断である。中国はもはや日本をはるかに上回る軍事力、経済力を有し、背伸びしても限度がある。東アジアにおいては、中国軍の方が米軍より優位に立っているとも指摘される。そうであればこそ、米国はもとより、インド、オーストラリア、あるいは英国といった価値観を同じくする友好国と緊密に連携し、隙を見せないようなしたたかな戦略も問われよう。

無論、歴史を忘れてはならない。経済的にも関係が深い隣の大国が重要な存在であることは論を俟たない。とはいえ、共産党一党支配の中国とは価値観が大きく異なる。日米関係と日中関係を等距離で考えようとすること自体、筋違いである。

日本の政党・メディアには、「日本が果たすべき役割は、米中双方に自制を求め、武力紛争を回避するための外交努力にほかならない」といったように、「外交努力」と唱えさえすればどうにかなるとの主張が少なくない。だが、説得力のある具体策は聞かない。外交と軍事は両輪というのが国際政治の常識である。交渉、対話は重要な手段であるが、そもそも日本にそれなりの「力」が備わっていなければ、どう実現しろというのだろう。

半世紀前、現実主義で知られた政治学者の永井陽之助は「中央公論」で発表した論文にて、「『全能の幻想』とは、自国だけの『一方的行為』で、国際問題や紛争が、すべて片づくと考える妄想である。国際政治はつねに、対他的行動であって、相手方の出方に依存していること、を無視することである」と指摘。そのうえで、「自主外交なるものが、政治の世界で、『何でも可能である』と思いこむ大衆のイリュージョンにおもねり、刺激するジャーナリズムの軽薄さのゆえに、いたずらに大衆の焦燥感のみを増長させるならば、日本の将来にとって、この上ない危険を意味するだろう」と喝破していた。

今読み返しても、まったく色あせていない。

戦前は軍事をひたすら追求したあげくに敗戦に追い込まれた。戦後は平和を享受した一方で、外交、防衛当局らによる努力の積み重ねはないがしろにされがちで、「憲法九条が日本の平和を守ってきた」かのような空理空論さえまかり通ってしまった。

孫子の兵法とは真逆のような「彼を知らず、己を知らず」から脱却し、そろそろ極論を排して地に足のついた取り組みをすることが必要ではないかと切に感じる。

二〇二一年七月

読売新聞東京本社政治部長　村尾新一

読売新聞取材班　読売新聞政治部の年間企画「安保60年」（2020年）をベースに、社会部、国際部記者による取材を加えて再構成。技術とサプライチェーンをめぐる中国の脅威と、日米政府の動きを追う。

Ⓢ新潮新書

919

中国「見えない侵略」を可視化する

著者　読売新聞取材班

2021年8月20日　発行

発行者　佐藤隆信

発行所　株式会社 新潮社

〒162-8711　東京都新宿区矢来町71番地
編集部(03)3266-5430　読者係(03)3266-5111
https://www.shinchosha.co.jp

装幀　新潮社装幀室

印刷所　株式会社光邦

製本所　株式会社大進堂

ISBN978-4-10-610919-5　C0231